까치와 설날, 설화와 과학의 만남, 전설의 날개로 현대를 날다

발 행 | 2025년 1월 19일

저 자 | 최민수

펴낸이 | 한건희

펴낸곳 | 주식회사 부크크

출판사등록 | 2014.07.15.(제2014-16호)

주 소 | 서울특별시 금천구 가산디지털1로 119
         SK트윈타워 A동 305호

전 화 | 1670-8316

이메일 | info@bookk.co.kr

ISBN | 979-11-419-7780-1

♣ 프롤로그 ♣
까치, 설날의 상징인가
자연의 친구인가?

PROLOGUE

Magpie, symbol of Seollal or nature's friend?
or nature's friend?

까치는 한국인에게 특별한 의미를 가진 새입니다.
설날 아침 울리는 까치의 울음소리는 새로운 한 해에 대한 희망과 기대를 안겨줍니다. 조선시대 민화에서 길조로 묘사된 까치는 복을 부르는 존재로 여겨졌습니다. 이는 농경 사회에서 까치가 계절 변화를 알리는 자연의 전령으로 인식되었기 때문입니다. 단순히 길조를 넘어, 까치는 우리 문화와 자연, 전통과 현대를 연결하는 중요한 상징적 매개체로 자리 잡았습니다.

설날은 한국 전통 문화에서 가장 중요한 명절로, 가족이 모여 조상을 기리고 새 출발을 다짐하는 날입니다. 이때 까치는 긍정적인 기운을 상징하며 설화 속에서도 은혜를 갚는 지혜로운 새로 묘사됩니다. '은혜 갚은 까치' 이야기는 까치가 단순한 동물이 아닌, 자연과 인간이 서로 돕고 공존하는 존재임을 상징적으로 보여줍니다. 또한, 까치밥을 남겨두는 전통은 자연과 인간의 상호작용과 긴 공존의 역사를 반영합니다.

겨울철 잎이 진 나뭇가지에 둥지를 틀고 앉아 있는 까치는 자연의 순환과 리듬을 떠올리게 합니다. 농경 사회에서는 계절 변화를 알리는 존재로, 현대에는 도시 전봇대와 건물 틈새에서 적응하며 생존합니다. 까치의 이러한 모습은 인간과 자연의 경계에서 살아가는 지혜와 환경 변화에 대한 적응력을 상징합니다.

이 책은 설날과 까치의 상징적 관계를 설화, 민요, 예술, 그리고 현대적 맥락에서 탐구합니다. 왜 까치가 설날의 상징이 되었는지, 그리고 이로부터 우리가 배울 교훈은 무엇인지 살펴봅니다. 또한, 현대에서 까치가 인간과 자연의 공존을 어떻게 상기시키는지 조명합니다.

까치는 단순한 새가 아닙니다. 우리 삶, 전통, 자연과 연결된 깊은 상징성을 지닌 존재입니다. 오늘날 까치는 도시의 하늘을 가로지르며 환경 변화에 적응하는 생명력을 보여주고, 광고와 공공 미술에서는 희망과 소통의 상징으로 활용됩니다. 이는 인간과 자연의 조화로운 관계를 일깨우는 중요한 매개체로 기능합니다.

프롤작가낭송

프 롤
로 그
작 가
낭 송

http://naver.me/5k7wgodv

저자, 와우 최민수

　최민수 작가는, 자연, 인간, 그리고 기술의 조화로운 관계를 탐구하며 전통과 현대를 아우르는 메시지를 전하는 에세이 작가이자 강연가입니다. 그는 민싸이트 북스(Minsight Books)를 설립하여 설화와 과학, 예술과 환경을 결합한 독창적인 이야기를 풀어내며 독자들에게 새로운 시각과 감동을 제공합니다.

　최민수 작가의 전문성은 폭넓은 학습과 자격증을 통해 뒷받침됩니다. 인문학지도사 1급, 동화구연지도사, 스마트IT컴퓨터지도사 1급, 인공지능(AI)전문가 1급, 미술심리상담사 1급을 포함한 41개의 자격증은 그가 설화와 과학을 넘나드는 독창적 시각을 독자들에게 전달하는 데 큰 역할을 합니다. 그는 자연과 인간, 그리고 기술을 잇는 이야기를 풍부하게 풀어내며 독자들에게 전통과 현대의 조화를 소개합니다.

그의 최신작 《까치와 설날: 설화와 과학의 만남》은 설날과 까치를 중심으로 한 독창적인 탐구서입니다. 이 책은 설날을 대표하는 상징인 까치를 통해 전통적 설화, 현대 기술, 그리고 생태학적 연구를 한데 엮어 독자들에게 전통과 혁신의 교차점을 선보입니다. 특히 까치가 설날의 길조로 여겨진 배경부터 도시화된 현대 사회에서 자연과 인간의 조화를 보여주는 상징으로 진화한 이야기를 담고 있습니다.

최민수 작가의 철학은 까치를 매개로 전통과 현대를 잇는 다리 역할을 합니다. 그는 설날과 까치의 상징성을 통해 자연과 인간, 과학과 예술이 조화롭게 공존해야 함을 강조합니다. 이러한 철학은 독자들이 자연과의 연결성을 재발견하고, 전통적 가치를 현대적 삶에 적용할 수 있도록 영감을 줍니다. 그의 노력과 열정은 2023년 대한민국 미래경영대상 수상으로도 인정받았습니다.

최민수 작가는 독자들에게 까치와 설날이라는 주제를 통해 전통과 혁신, 그리고 공존의 메시지를 전달합니다. 그의 글은 독자들이 전통 속에서 현대의 가치를 발견하고, 자연과 조화로운 삶을 실천할 수 있도록 돕는 동반자가 될 것입니다.

전설의 날개로 현대를 날다

까치와
설날
설화와 과학의 만남

최민수 지음

목 차

제1장
설날과 까치, 전통의 교차점

1. 설날의 유래,
과거와 현재를 잇는 다리

설날은 한국 전통 문화에서 가장 중요한 명절 중 하나로, 단순한 새해맞이를 넘어 조상과 후손, 과거와 현재를 연결하는 중요한 다리 역할을 한다.

설날의 기원은 삼국시대까지 거슬러 올라가며, 음

력 1월 1일은 농경 사회에서 새로운 농업 주기를 맞이하는 시작점이었다. 이 시점은 겨울이 끝나가고 봄이 시작되기 전의 전환점으로, 자연과 인간의 관계를 반영하는 중요한 시간이었다.

삼국사기와 같은 고대 문헌에서도 설날을 기념하는 기록이 등장한다. 조선 시대에 들어서는 설날이 더욱 체계화되며 국가 차원의 축제일로 자리 잡았다. 조선 왕실은 설날에 왕과 신하가 덕담을 나누며 나라의 안녕을 기원하는 의식을 거행했다. 백성들 역시 설날에 가족이 모여 조상을 기리며 한 해의 안녕을 기원하는 풍습을 이어갔다. 이러한 문화적 배경 속에서 설날은 단순히 시간의 경계를 표시하는 날이 아니라, 사회적, 문화적 의미를 포함한 중요한 기념일로 자리 잡았다.

까치가 설날과 연결된 이유는 설날이 가진 상징성과 까치의 자연적 특성이 조화를 이루었기 때문이다. 까치는 새해를 알리는 길조로 여겨졌는데, 특히 설날 아침에 들리는 까치의 울음소리는 한 해의 복을 예고하는 신호로 받아들여졌다. 이는 까치가 단순히 자연의 일부가 아니라, 인간의 희망과 기대를 담는 상징적 존재로 여겨졌음을 보여준다.

현대 사회에서 설날은 여전히 중요한 명절로 남아 있지만, 도시화와 현대화 속에서 그 의미와 풍습은 점차 변화하고 있다. 그러나 설날의 유래와 까치의 상징성은 여전히 우리 문화의 중심에 남아 있다. 이는 단지 과거의 유산이 아니라, 현재와 미래에도 우리의 정체성을 형성하는 중요한 요소로 작용한다. 설날이 우리에게 제공하는 공동체 의식과 자연과의 연결성은 오늘날에도 큰 의미를 가진다.

2. 까치와 설날,
복을 부르는 상징

　까치가 설날의 상징으로 자리 잡은 이유는 단순한 우연이 아니다. 까치는 설화와 민속 신앙에서 행운과 복을 상징하는 존재로 오랜 세월 사랑받아왔다. 예로부터 까치는 사람과 자연의 경계에서 살아가는 새로 여겨졌다. 이 독특한 위치는 까치가 복을 전하는 존재로 자리 잡게 된 배경이 되었다.

한국의 설화 속 까치는 종종 위험에 처한 사람을 구하거나, 은혜를 갚는 존재로 등장한다. 대표적인 예로 '은혜 갚은 까치' 설화는 까치가 인간을 돕고 위험에서 벗어나게 한 후 보답을 받는 내용을 담고 있다. 이러한 이야기들은 까치를 단순한 새로 인식하지 않고, 인간과 교감하는 존재로 받아들이게 만들었다. 설날에 까치 울음소리가 길조로 여겨진 것도 이와 같은 신화적 맥락에서 이해할 수 있다.

까치가 설날과 관련된 상징으로 자리 잡은 또 다른 이유는 조선 시대 민화에 나타난 까치의 모습이다. 민화 호작도(虎鵲圖)에서 까치는 호랑이와 함께 등장한다. 호랑이는 권위와 강인함을, 까치는 행운과 기쁨을 상징하며, 두 요소는 설날의 전통적인 가치인 가족의 화목과 새해의 희망을 상징적으로 보여준다. 호작도는 까치가 단순한 새를 넘어 복을 가져다주는 존재로 여겨지게 한 중요한 시각적 자료다.

최근 연구에 따르면 까치의 이러한 상징성은 한국인의 자연관과도 연결되어 있다. 농경 사회에서 사람들은 자연과 밀접한 관계를 맺고 살아갔다. 까치는 겨울철 척박한 환경 속에서도 생존하며, 봄의 시작을 알리는 새로 여겨졌다. 이 특성은 까치가 설날 아침의 복을 알리는 길조로 여겨지게 한 중요한 요소였다. 설날에 까치가 울면 손님이 온다는 속담도 이러한 맥락에서 생겨난 문화적 표현이다.

까치의 상징은 단순히 전통적인 믿음에만 국한되지 않는다. 현대에서도 까치는 설날의 희망과 복을 상징하는 요소로 활용된다. 설날 광고나 대중문화에서 까치의 모습은 새로운 출발과 긍정적인 메시지를 전하는 데 자주 사용된다. 특히, 한 통신 회사의 설날 광고에서 까치가 등장해 가족 간의 소통과 연결을 상징한 사례는 까치의 상징성이 여전히 현대적 맥락에서도 유효함을 보여준다.

까치는 설날의 전통적 가치와 현대적 해석을 모두 아우를 수 있는 특별한 존재다. 설날과 까치의 연결은 단순히 과거의 문화적 산물이 아니라, 오늘날에도 지속적으로 새롭게 해석되고 확장되는 상징으로 자리 잡고 있다. 까치가 가진 복을 부르는 상징성은 세대를 넘어 우리 삶의 희망과 기쁨을 이어주는 가교 역할을 하고 있다.

3. 새해 첫날의 풍습 속,
까치의 자리

설날 아침, 까치와 관련된 풍습 중 가장 대표적인 것은 '까치밥'을 남겨두는 전통이다. 농경 사회에서 시작된 이 풍습은 자연의 생명체와 공존하려는 인간의 의지를 상징했다. 겨울철의 척박한 환경 속에서 까치와 같은 새들에게 음식을 남겨주는 것은 단순히 생존을 도와주는 행위가 아니라, 자연에 대한 감사와 존중을 표현하는 의식이었다.

까치밥은 단순한 풍습 이상의 의미를 가진다. 과거 농부들은 자신의 곡식을 일부 떼어 까치에게 남겨주는 것을 단순한 배려로 여기지 않았다. 그들에게 이는 자연과 인간이 조화를 이루며 살아가는 관계를 지속하기 위한 상징적 행위였다. 겨울철의 혹독한 추위 속에서 생존하는 까치는 농민들에게 새로운 농사 철의 시작을 알리는 '길조'의 역할을 했다. 이러한 상징성은 자연과 인간이 긴밀히 연결된 농경 사회의 특성을 반영한다.

최근에는 환경 보호 단체들이 까치밥 전통을 새롭게 조명하며 생태계 보존 캠페인에서 이를 활용하고 있다. 예를 들어, 서울의 한 환경 단체는 설날을 맞아 까치밥 남기기 행사를 개최하며, 자연과의 공존의 중요성을 알렸다. 이러한 현대적 해석은 까치밥의 전통이 단지 과거의 유산이 아니라 현재에도 의미 있는 행위로 살아남고 있음을 보여준다.

까치밥의 의미는 설날에만 국한되지 않는다. 이는 인간이 자연의 일부분으로서, 자연에 대한 책임을 가지고 살아야 한다는 메시지를 내포한다. 이러한 전통은 설날이 단순히 인간 사회의 축제가 아니라, 자연과 인간이 함께하는 시간임을 상기시킨다.

4. 현대 설날 문화에서,
까치 찾기

　현대 사회에서 까치는 설날의 상징으로서의 역할을 새로운 방식으로 이어가고 있다. 도시화로 인해 실제로 까치를 관찰하기 어려운 환경 속에서도, 까치는 대중문화와 미디어 속에서 강렬한 상징성을

유지하고 있다. 설날 광고에서 까치는 희망과 새 출발을 상징하는 주요 요소로 자주 등장한다. 한 식품 기업의 설날 광고에서는 까치가 등장해 가족의 화목과 따뜻함을 상징하는 장면이 연출되었다. 이러한 장면은 까치가 설날의 전통적 상징성을 현대적인 방식으로 재해석한 사례라 할 수 있다.

SNS에서도 까치와 설날의 관계는 더욱 창의적으로 표현되고 있다. 설날 아침, 까치 울음소리를 들었다는 경험담을 공유하거나, 까치와 관련된 속담을 활용한 글은 디지털 시대에도 여전히 사랑받는 설날 콘텐츠로 자리 잡고 있다. '까치 까치 설날'이라는 동요의 가사에 까치를 연관 지어 만든 짧은 영상 콘텐츠는 젊은 세대들 사이에서 큰 인기를 끌고 있다.

또한, 까치는 현대 미디어에서 환경 보호와 생태계의 중요성을 강조하는 상징으로 활용되기도 한다. 한 다큐멘터리 프로그램에서는 까치의 도시 적응력과 지능을 다루며, 까치가 인간 사회에서 자연과 공존하는 상징적 사례로 제시되었다. 이러한 접근은 까치가 단순히 설날의 전통적인 상징에 머물지 않고, 현대적 의미와 가치로 재탄생하고 있음을 보여준다.

현대 설날 문화에서 까치는 단순히 과거의 유산이 아니라, 현재와 미래를 연결하는 문화적 아이콘으로 자리 잡고 있다. 이는 까치가 가진 상징적 가치가 시간의 흐름 속에서도 변하지 않고 재해석되며 확장되고 있음을 의미한다.

제2장
까치가 전하는 기쁨

1. "까치 울면 좋은 일 생긴다"의
진실과 미신

Truth and Myths : When mappies cry, gings happen.
magpies cry, good things

"까치 울면 좋은 일 생긴다"라는 속담은 한국인들에게 익숙한 문구다. 이 문구는 단순한 미신으로 치부되기 쉽지만, 그 배경에는 깊은 문화적 맥락과 심리적 요인이 숨어 있다. 과연 이 말은 어디서 기원

했으며, 어떤 의미를 가지고 있을까?

까치가 울면 좋은 일이 생긴다는 속담은 주로 농경 사회에서 형성된 믿음이다. 농촌에서는 까치가 아침 일찍 우는 소리를 듣고 하루의 시작을 상쾌하게 여겼다. 까치의 맑고 경쾌한 울음소리는 사람들이 희망을 느끼게 했고, 이것이 곧 "복이 온다"는 긍정적 믿음으로 연결되었다. 또한, 까치는 사람들과 가까운 곳에서 둥지를 틀며 살아가는 습성 덕분에 "인간에게 친숙한 새"로 여겨졌다.

과학적으로도 까치의 울음이 좋은 소식을 예고한다는 믿음에는 일리가 있다. 까치의 울음은 종종 특정한 행동이나 사건과 연관되어 관찰되었다. 예를 들어, 까치는 천적이나 낯선 존재를 경고하는 소리를 내는 경우가 많다. 이러한 경계 행동은 농부들에게 외부인의 방문이나 변화의 신호로 여겨졌고, 이는 "손님이 온다"는 속설로 발전했다.

그러나 현대의 관점에서 보면 이 속담은 단순한 미

신 이상의 의미를 지닌다. 까치의 울음이 "좋은 일"로 여겨지는 것은 인간의 심리적 작용 때문이다. 연구에 따르면 사람들은 긍정적인 사건과 자연 현상을 연결 짓는 경향이 있다. 까치의 울음이 들리는 순간을 특별하게 인식하고, 그날의 긍정적 사건과 연관 짓는 심리적 현상은 이 속담의 지속성을 설명한다.

오늘날에도 이 속담은 한국인들에게 희망과 긍정의 메시지를 전달하는 역할을 한다. 예를 들어, 한 온라인 커뮤니티에서 까치 울음소리를 듣고 로또에 당첨되었다는 글이 화제가 된 적이 있다. 이는 사람들이 여전히 까치의 울음과 행운을 연결 짓는 경향이 있음을 보여준다. 결국, 이 속담은 단순히 과거의 잔재가 아니라, 현대 사회에서도 사람들이 희망을 느끼는 데 기여하는 문화적 요소로 기능한다.

2. 길조인가, 우연인가,
까치의 상징성 분석

까치는 한국뿐만 아니라 동아시아 전반에서 길조로 여겨지는 새다. 중국과 일본에서도 까치는 좋은 소식을 가져다주는 새로 여겨졌으며, 이는 한국 문화에도 영향을 미쳤다. 그러나 까치가 길조로 여겨진 이유는 단순한 우연이 아니다. 까치의 생태적 특징과 인간과의 관계에서 그 이유를 찾을 수 있다.

까치는 다른 새들보다 지능이 높은 새로 알려져 있다. 연구에 따르면 까치는 자신을 거울에 비추어 인식할 수 있는 몇 안 되는 동물 중 하나다. 이러한 인지 능력은 까치가 인간과 특별한 관계를 맺는데 기여했다. 사람들은 까치의 영리함과 독특한 행동을 관찰하며, 이 새가 단순한 동물이 아니라 인간에게 이로운 존재로 여겼다.

또한, 까치는 시각적으로도 두드러지는 새다. 검은색과 흰색이 대비되는 깃털은 시각적으로 인상적이며, 이는 까치가 주목받는 이유 중 하나다. 동아시아에서는 검은색이 권위와 깊이를, 흰색이 순수함과 희망을 상징한다. 이러한 색채의 조합은 까치가 자연스럽게 길조로 여겨지게 만든 요소다.

까치의 상징성은 설화와 전통 문화를 통해 더욱 강화되었다. 예를 들어, 까치는 "은혜를 갚는 새"로 자주 묘사된다. 한 전설에서는 까치가 뱀의 공격에서 인간을 구하기 위해 날아와 도움을 요청했다고 한다. 이러한 이야기는 까치가 인간에게 이로운 존재라는 이미지를 강화하는 데 기여했다.

하지만 길조로서의 까치의 이미지가 보편적인 것은 아니다. 서구 문화에서는 까치가 종종 부정적인 상징으로 등장한다. 까치가 반짝이는 물건을 훔치는 습성 때문에 도둑으로 묘사되거나, 불길한 존재로 여겨지기도 했다. 이는 까치의 상징성이 문화적 맥락에 따라 달라질 수 있음을 보여준다.

결국, 까치의 상징성은 길조와 우연 사이에서 인간의 관점에 의해 형성되었다. 한국 문화에서 까치는 복을 부르는 상징으로 자리 잡았지만, 이는 까치의 행동과 특성을 인간의 필요와 연결 지은 결과라 할 수 있다. 까치는 자연의 일부이지만, 인간과의 관계 속에서 특별한 의미를 지니게 된 것이다.

3. 까마귀와 까치,
상반된 두 얼굴

　　까치와 까마귀는 외형적으로나 생태적으로 많은
유사점을 지닌다. 그러나 이 두 새가 상징적으로 가
지는 의미는 극명하게 다르다. 까치는 흔히 길조로
여겨지는 반면, 까마귀는 많은 문화권에서 불길하거

나 음울한 이미지를 떠올리게 한다. 이 상반된 이미지는 단순히 문화적 오해에서 비롯된 것이 아니라, 이 두 새가 인간의 삶 속에서 서로 다른 방식으로 자리 잡아왔기 때문이다.

까마귀는 서구 문화권에서 죽음과 관련된 상징으로 자주 묘사된다. 고대 북유럽 신화에서 까마귀는 전쟁과 죽음을 상징하는 신 오딘의 동반자로 등장한다. 또한, 흑사병이 유럽을 휩쓸던 시기에 까마귀는 죽음이 다가오고 있음을 알리는 징조로 여겨졌다. 이러한 역사적 맥락은 까마귀의 부정적인 이미지를 형성하는 데 큰 영향을 미쳤다.

반면, 까치는 한국과 동아시아 문화에서 긍정적인 상징으로 자리 잡았다. 까마귀와 달리, 까치는 낮 동안 활발히 활동하며 사람들과 가까운 곳에서 생활한다. 이로 인해 까치는 친숙하고 밝은 존재로 인식되었다. 설날 아침에 까치의 울음소리를 듣는 것이 길조로 여겨지는 이유도 이러한 친근함에서 비롯되었다.

두 새는 비슷한 생태적 특징을 지니고 있지만, 인간과의 상호작용에서 전혀 다른 이미지를 형성했다. 까치는 밝고 긍정적인 에너지를 상징하며, 까마귀는 어둡고 신비로운 이미지를 가진다. 이는 자연과 인간의 관계가 어떻게 문화적 상징으로 구체화되는지를 보여주는 흥미로운 사례다.

4. 까치가 현대인에게,
전하는 메시지

까치는 현대 사회에서도 여전히 중요한 상징으로
자리 잡고 있으며, 다양한 메시지를 통해 인간과 자
연의 관계를 재조명한다. 특히, 까치는 환경과의 공
존, 희망, 새로운 출발이라는 긍정적 가치를 담고

있다. 도시화된 환경 속에서도 까치는 뛰어난 적응력을 보여주며 인간과 자연이 조화를 이룰 수 있다는 가능성을 상징적으로 나타낸다.

현대의 광고와 미디어에서 까치는 설날의 상징으로 빈번히 등장한다. 한 식품 브랜드는 까치 이미지를 활용해 "행복과 희망을 나누는 새"라는 메시지를 전달하며, 까치가 긍정적이고 희망적인 이미지를 유지하고 있음을 보여준다. 까치가 설날뿐만 아니라 현대적 맥락에서도 지속적으로 사용된다는 점은 그 상징성이 시대를 초월해 이어지고 있음을 증명한다.

또한, 까치는 환경 보호와 생태계의 중요성을 강조하는 사례로 자주 언급된다. 생태계에서 까치는 씨앗을 퍼뜨리고 곤충을 잡아먹으며 자연의 균형을 유지하는 데 기여한다. 환경 단체들은 까치의 적응력을 인간이 지속 가능한 삶을 살아가기 위한 교훈으로 활용하며, 도시와 자연 사이의 균형을 맞추는 삶의 중요성을 환기시킨다.

까치의 존재는 인간과 자연이 공존할 수 있는 가능성을 상기시키는 동시에, 환경 변화에 적응하며 생존하는 자연의 지혜를 전달한다. 까치는 현대 사회에서 단순한 전통적 상징을 넘어 환경과 삶에 대한 새로운 시각을 제시한다.

뿐만 아니라, 까치는 예술과 공공 미술에서도 자주 등장하며 희망과 소통의 매개체 역할을 한다. 까치를 소재로 한 작품들은 자연과 인간의 연결성을 강조하며 우리에게 지속 가능한 삶에 대해 깊이 생각하게 한다. 광고, 미디어, 예술 등 다양한 분야에서 까치는 인간과 자연의 상호작용을 상징적으로 드러내는 역할을 하고 있다.

결국 까치는 단순히 길조를 상징하는 전통적인 새를 넘어, 현대 사회에서도 중요한 교훈을 주는 존재로 자리 잡고 있다. 까치를 통해 우리는 자연과의 관계를 돌아보고, 환경과 조화를 이루며 지속 가능한 미래를 위한 길을 모색할 수 있다. 이는 인간과 자연이 함께 성장하고 번영할 수 있는 가능성을 다시 한번 일깨워준다.

제3장
설화 속 까치, 전설의 날개짓

1. "은혜 갚은 까치"의
교훈

　까치는 한국 설화에서 가장 사랑받는 존재 중 하나로, 은혜를 갚는 이야기는 까치 설화의 대표적인 주제다. 이런 이야기는 단순한 동물의 행동을 넘어 인간과 자연의 상호작용을 상징적으로 보여준다. 까치가 위험에 처한 인간을 돕고, 그 보답으로 인간과 친밀한 관계를 형성한다는 이야기는 자연과 공존의 중요성을 강조한다.

대표적인 예로, 한 사냥꾼이 숲에서 길을 잃었을 때, 까치가 날아와 뱀의 공격으로부터 그를 구했다는 설화가 있다. 사냥꾼은 까치의 도움에 보답하기 위해 겨울철마다 까치밥을 남겨 두었다. 이 이야기는 단순한 감사의 표현을 넘어, 자연과 인간의 관계를 윤리적 관점에서 바라보게 한다.

또한, 은혜 갚은 까치 이야기는 한국뿐만 아니라 중국과 일본에서도 비슷한 형태로 전해진다. 중국에서는 까치가 행운의 전령으로 여겨져, 중요한 순간에 좋은 소식을 전하는 존재로 묘사되며, 일본에서는 까치가 농부의 목숨을 구하고 보답받는 설화가 전해진다. 이처럼 까치는 동아시아 전역에서 공통적으로 인간과 자연의 조화로운 관계를 상징하는 새로 자리 잡았다.

현대에도 이러한 설화는 중요한 교훈을 제공한다. 자연과의 조화를 잊은 채 발전만을 추구하는 오늘날, 까치 설화는 인간이 자연에 대한 책임을 되새기게 한다. 최근에는 한 연구팀이 까치가 도움을 받은 후 특정 인간을 인식하고 지속적으로 우호적 행동을 보인 사례를 발표하며, 설화의 진실성을 과학적으로 입증하려는 시도를 보였다. 이는 까치 설화가 단순한 민담을 넘어 현대 과학에서도 그 의미를 찾을 수 있음을 보여준다.

2. 치악산과 까치,
뱀과의 운명적 대결

치악산(雉岳山)은 강원도에 위치한 아름다운 산으로, 그 이름 속에는 까치와 얽힌 독특한 전설이 담겨 있다. 여기서 '치(雉)'는 까치를 의미하며, 이 산의 전설은 자연과 인간, 그리고 동물 간의 관계를

상징적으로 보여준다.

전설에 따르면, 치악산 근처에 살던 한 노인이 매일 까치에게 곡식을 나눠주었다. 어느 날, 거대한 뱀이 노인의 집을 습격하려 했을 때, 이를 본 까치는 급히 하늘로 날아올라 다른 까치들에게 도움을 요청했다. 수백 마리의 까치가 협력하여 뱀을 공격하고 노인을 구했다는 이야기는 지금도 지역 주민들에게 전해지고 있다.

이 설화는 단순히 흥미로운 전설에 그치지 않고, 자연과 동물의 협동심과 인간과의 조화로운 관계를 강조하는 중요한 메시지를 전달한다. 특히 까치가 위험을 알리고 집단적으로 행동한 모습은 협력의 가치를 상징적으로 보여준다. 이는 인간과 자연이 상호 작용하며 조화를 이룰 때 더 큰 힘을 발휘할 수 있다는 깨달음을 제공한다.

2025년 푸른 뱀의 해를 맞이하여 이 전설은 더욱 특별한 의미를 갖는다. 뱀과 까치가 등장하는 이야기는 올해 2025년의 상징성과 맞물려 자연과 인간의 관계를 되돌아보게 하며, 협력과 공존의 중요성을 다시금 일깨워준다.

오늘날 치악산은 이 전설을 바탕으로 까치를 지역의 상징으로 삼아 관광과 문화적 자산으로 활용하고 있다. 매년 열리는 까치 축제에서는 방문객들에게 까치와 관련된 설화를 소개하며 자연 보호와 생태계의 중요성을 알리는 다양한 행사를 진행한다. 이 축제는 전설의 현대적 계승뿐 아니라, 지역의 문화적 자산을 보존하고 환경에 대한 관심을 높이는 데 기여하고 있다.

치악산과 까치의 이야기는 단순히 과거에 머무는 전설이 아니라, 오늘날에도 여전히 자연과 인간의 관계를 성찰하게 하고, 조화로운 공존을 위한 새로운 가능성을 모색하도록 이끄는 중요한 상징이다.

3. 까치와 호랑이,
민담 속 의외의 콤비

  한국 민담에서 까치와 호랑이는 종종 독특한 관
계를 맺는다. 대개의 이야기에서 강력한 호랑이는
약한 까치를 위협하는 존재로 묘사되지만, 의외의
협력자로 등장하는 경우도 있다. 이 관계는 까치의

지혜와 호랑이의 힘이 조화를 이루며 자연의 균형을 상징한다.

한 설화에서는 배고픈 호랑이가 겨울 숲에서 먹이를 찾아 헤맬 때, 까치가 나타나 먹을 것을 제공하며 호랑이를 돕는다. 이에 호랑이는 까치를 해치지 않고 오히려 까치의 도움에 감사하며, 이후 두 동물은 상호 협력 관계를 형성한다. 이 이야기는 까치가 단순히 약한 존재로 머무르지 않고, 자신의 지혜와 자원을 활용해 강자를 설득할 수 있음을 보여준다.

또한, 또 다른 민담에서는 호랑이가 까치의 둥지에서 떨어진 새끼를 구해주는 장면이 묘사된다. 이 이야기에서는 까치와 호랑이가 서로의 생명을 구하며 신뢰를 쌓아가는 모습이 나타난다. 이는 동물 간의 상호 의존성을 강조하며, 인간 사회에도 협력과 조화의 중요성을 일깨운다.

이러한 이야기는 단순히 동물의 행동을 묘사하는

데 그치지 않는다. 까치와 호랑이의 조합은 자연 속 약자와 강자의 관계가 갈등이 아닌 협력으로 발전할 수 있다는 메시지를 담고 있다. 이는 인간 사회에도 적용될 수 있는 교훈으로, 강자가 약자를 보호하고 약자는 지혜로 강자를 돕는 이상적인 관계를 상징적으로 보여준다.

오늘날 이러한 설화는 다양한 매체를 통해 재해석되고 있다. 동화나 애니메이션에서 까치와 호랑이는 종종 어린이들에게 협력과 우정을 가르치는 캐릭터로 등장한다. 이는 전통 설화의 가치를 현대적으로 계승하는 좋은 사례로, 까치와 호랑이의 이야기가 단순히 과거의 전통이 아닌, 현대에도 유효한 교훈임을 보여준다.

4. 지역 설화로 보는
까치 이야기

　한국 각 지역에는 까치와 관련된 다양한 설화와 믿음이 전해져 내려오며, 이는 까치가 단순한 새를 넘어 지역 문화와 정체성을 형성하는 데 중요한 역할을 했음을 보여준다. 전라남도의 한 마을에서는

까치가 마을의 수호신으로 여겨졌다. 까치는 중요한 소식을 전하거나 외부의 위협을 경고하는 역할을 하며, 마을 사람들은 까치가 울면 좋은 일이 생긴다고 믿었다. 이러한 믿음은 까치가 단순히 자연의 일부가 아니라, 공동체의 안녕과 번영을 지키는 존재로 여겨졌음을 의미한다.

경상도에서는 까치가 결혼식이나 제사와 같은 중요한 의식에서 행운을 상징하는 새로 여겨졌다. 까치가 나타나면 좋은 일이 생길 징조로 받아들였고, 까치의 울음소리는 방문객이 온다는 신호로 인식되었다. 이러한 전통은 까치가 인간의 삶과 깊이 연결된 존재임을 보여준다.

제주도에서는 까치가 폭풍을 예고하는 새로 여겨졌다. 까치가 갑작스럽게 낮은 곳으로 내려오거나 한곳에 몰려드는 모습을 보면 큰 폭풍이 올 징조로 여겨졌다. 이는 까치가 자연의 변화를 감지하고 예측하는 능력을 가진 존재로 인식되었음을 나타내며, 자연과 인간이 조화를 이루며 살아가야 한다는 메시지를 전달한다.

이처럼 각 지역의 설화 속 까치는 단순한 동물이 아닌, 인간과 자연, 공동체를 연결하는 상징적 존재로 자리 잡았다. 현대에서도 까치는 지역 축제나 상징물로 활용되며 여전히 한국인의 삶과 밀접한 관계를 유지하고 있다. 예를 들어, 까치를 주제로 한 지역 축제에서는 설화를 소개하고 자연과의 공존을 강조하며, 인간과 자연의 관계를 되새기는 계기를 제공한다.

결국 까치는 길조를 상징하는 전통적 의미를 넘어, 자연의 변화와 인간의 삶을 연결하는 중요한 매개체로서 여전히 우리의 문화와 가치 속에 깊이 자리하고 있다. 이는 공동체의 연대감과 자연과의 조화로운 관계를 일깨우는 데 기여하며, 오늘날에도 지속적으로 의미를 더하고 있다.

제4장
까치, 명절 문화 속에서

1. "까치밥"
인심과 자연의 조화

　까치밥은 한국 명절 문화의 독특한 풍습 중 하나로, 인간과 자연의 공존을 상징한다. 까치밥은 단순히 남은 곡식이나 음식을 새들에게 주는 행위가 아니라, 농경 사회에서 자연을 존중하고 자연과 함께

살아가는 철학을 담고 있다. 까치밥이라는 이름 자체가 자연과 인간의 따뜻한 연결을 표현한다.

까치밥 풍습은 농경 생활이 중심이던 시절, 수확 후에도 자연에 대한 감사와 보답의 의미로 시작되었다. 겨울철에는 먹이를 구하기 어려운 새들에게 곡식을 남겨두는 일이 자연의 일부로서 인간이 해야 할 도리로 여겨졌다. 이를 통해 사람들은 자연에 베풀면 복이 돌아온다는 믿음을 가지게 되었다. 설날에 남겨진 까치밥은 이러한 사상을 반영한 전형적인 예다. 까치밥은 단순한 음식이 아니라, 명절 아침 자연과의 연대를 확인하는 의식이었다.

최근에도 까치밥의 의미는 다양한 방식으로 현대화되고 있다. 예를 들어, 환경 단체들은 까치밥 풍습을 활용한 캠페인을 전개하고 있다. 이 캠페인은 겨울철에 새들에게 먹이를 제공함으로써 자연과 인간의 조화로운 공존을 재조명한다. 한 환경 단체가 주관한 '겨울 숲 나누기' 캠페인에서는 지역 주민들이 설날 아침 산에 올라 까치밥을 준비하며 자연 보호의 중요성을 체험했다. 이 활동은 과거 풍습을 현대적으로 계승하면서, 까치밥이 단순히 옛 관습이 아니라 오늘날에도 유효한 자연 친화적 메시지를 담고 있음을 보여준다.

까치밥 풍습은 또한 인간의 인심과 연대감을 상징한다. 설날 아침에 가족과 함께 까치밥을 준비하는 과정은 자연에 대한 감사뿐 아니라, 가족 간의 유대를 강화하는 시간이기도 했다. 이러한 풍습은 현대에서도 다시 조명되며 공동체 의식을 회복하고 자연과의 조화를 꿈꾸게 한다.

2. 명절 음식과 까치,
풍습과 상징성

한국의 명절 음식은 까치와 깊은 상징적 연결을 가진다. 설날의 대표적인 음식인 떡국은 까치밥과 마찬가지로 새해 복을 기원하는 의미를 담고 있다. 자연에 까치밥을 남기듯, 떡국은 가족이 함께 나누며 화목과 번영을 기원하는 음식으로 자리 잡았다.

이러한 전통은 까치가 복을 가져다주는 존재로 여겨졌던 농경 사회의 믿음에서 비롯되었다. 까치와 명절 음식의 연결은 단순히 복을 상징하는 것에 그치지 않고, 자연과 인간의 조화로운 관계를 드러낸다. 농경 사회에서는 까치가 자주 나타나는 들판이나 마당에 음식을 남겨두며 자연과의 상호작용을 표현하곤 했다. 이는 인간이 자연의 일부로서 자연과 조화를 이루며 살아가는 방식을 상징적으로 보여준다.

한 민담에서는 까치가 떡을 물어다 새해 첫날 가족의 식탁에 올려놓으며 복을 가져다준다는 이야기가 전해진다. 이 이야기는 까치가 단순히 자연 속의 새가 아니라, 명절 음식과 행복을 연결하는 상징적인 존재로 여겨졌음을 보여준다. 까치의 이러한 역할은 설날 음식의 상징성을 더욱 풍부하게 만들어준다.

현대에도 까치의 이미지는 명절 음식 문화 속에서 다양하게 활용되고 있다. 한 식품 브랜드는 설날 광고에서 까치를 등장시켜 "복을 나누는 상징"이라는 메시지를 전달하며, 까치의 전통적 이미지를 현대적으로 재해석했다. 이러한 시도는 전통과 현대의 조화를 보여주며, 까치가 가진 상징적 가치를 오늘날에도 이어가게 한다.

명절 음식과 까치의 관계는 단순히 과거의 전통에서 그치지 않는다. 떡국을 나누며 가족의 화목을 기원하는 행위나 까치의 이미지를 통해 복을 기원하는 현대적 해석은, 인간과 자연, 전통과 현대가 조화롭게 어우러질 수 있음을 상징한다. 이는 명절의 본질적인 의미를 되새기게 하며, 까치가 한국인의 문화와 삶에서 여전히 중요한 존재로 남아 있음을 보여준다.

3. 동요와 민요 속,
까치의 흔적

"까치 까치 설날은 어저께고요~"로 시작하는 동요
는 한국 어린이들에게 가장 친숙한 곡 중 하나로,
설날과 까치의 관계를 자연스럽게 노래한다. 이 곡
은 단순히 설날을 기념하는 노래를 넘어, 까치가 한

국 명절 문화에서 얼마나 중요한 존재인지를 상징적으로 보여준다. 까치가 길조와 복을 상징하는 새로 자리 잡은 이유를 어린이들에게 친근하게 전달하는 매개체로서, 이 동요는 까치의 상징성을 문화적으로 확립하는 데 기여해 왔다.

까치는 동요뿐만 아니라 민요에서도 중요한 소재로 등장한다. 민요 속에서 까치는 자연과 인간의 조화, 그리고 복을 가져다주는 존재로 묘사된다. 특히 농경 사회에서는 까치의 울음소리가 좋은 소식과 행운을 가져다준다고 믿었다. 전라도 지역의 민요에서는 까치가 울면 복이 온다는 믿음을 흥겨운 멜로디로 표현하며, 까치의 역할을 긍정적으로 그려낸다. 이처럼 까치는 단순히 자연의 일부가 아니라, 농촌 생활과 정서를 풍요롭게 하는 존재로 여겨졌다.

까치가 등장하는 동요와 민요는 단순히 전통적 요소에 머물지 않고, 까치가 한국인의 정서와 일상에 깊이 뿌리내린 상징임을 드러낸다. 이러한 노래들은 설날뿐만 아니라 사계절 내내 불리며, 까치와 관련된 다양한 믿음과 가치를 사람들에게 전해왔다. 현대에는 이러한 전통적 노래들이 다양한 방식으로 재해석되고 있다. 예를 들어, 까치 동요와 민요는 전통 악기와 현대 음악을 결합하거나 애니메이션과 같은 새로운 매체로 재탄생하며 아이들과 어른 모두에게 사랑받고 있다.

이와 함께 까치는 한국 문화를 세계에 알리는 중요한 소재로도 활용되고 있다. 까치를 소재로 한 동요와 민요는 국제 행사나 교육 프로그램에서 한국 전통 문화를 소개하는 데 사용되며, 까치의 상징성을 전 세계에 전파하는 역할을 하고 있다.

결국, 동요와 민요 속 까치는 단순히 복과 행운을 상징하는 새가 아니라, 한국 문화와 전통, 그리고 자연과의 조화로운 관계를 상징적으로 나타내는 중요한 존재이다. 이러한 노래들은 까치가 가진 상징성과 가치를 미래 세대에게 전하며, 한국의 정서와 전통을 지속적으로 계승하는 데 기여하고 있다.

4. 명절의 사회적 의미에서
까치의 역할

　명절은 가족과 공동체가 하나 되어 화합과 행복을 나누는 특별한 시간이다. 까치는 이러한 명절의 사회적 의미 속에서도 중요한 역할을 한다. 설날을 비롯한 명절에서 까치는 길조와 복을 상징하며, 사

람들에게 희망과 화합의 메시지를 전달하는 존재로
자리 잡았다.

설날 아침 들려오는 까치의 울음소리는 복을 가
져온다는 전통적 믿음과 연결되어 있다. 이 믿음은
단순히 복을 기원하는 것을 넘어 가족과 이웃 간의
연대를 강화하고 공동체의 결속을 다지는 데 기여
했다. 까치는 자연의 일부인 동시에 사람들 사이를
이어주는 상징적 존재로 자리 잡으며, 명절의 본질
을 더욱 풍성하게 만들었다.

현대 사회에서도 까치의 상징적 역할은 여전히
유효하다. 설날 광고와 대중문화 속에서 까치는 명
절의 상징으로 자주 등장하며, 전통의 가치를 현대
적으로 재해석하는 매개체가 된다. 예를 들어, 한
기업의 설날 캠페인에서는 까치가 도시와 농촌을
연결하는 상징으로 활용되었다. 이는 까치가 단순히
과거의 유물이 아니라, 전통과 현대를 잇는 다리로
서 현재에도 의미 있는 존재임을 보여준다.

뿐만 아니라, 까치는 명절이 개인의 행복을 넘어 사회적 연대와 자연과의 조화를 추구하는 시간임을 상기시킨다. 까치가 가진 상징성은 사람들로 하여금 명절의 본질을 되새기게 하며, 우리 문화 속에서 지속적으로 그 중요성을 확립하고 있다.

결국 까치는 명절이라는 특별한 시간을 통해 자연과 인간, 전통과 현대, 개인과 공동체를 연결하는 중요한 역할을 한다. 까치가 설날의 상징으로 자리 잡은 이유는 단순한 미신이 아니라, 희망과 연대, 그리고 공존이라는 메시지를 전달하며 오늘날까지도 그 의미를 확장하고 있기 때문이다. 이는 까치가 한국 문화 속에서 단순한 새를 넘어 더 깊은 상징적 존재로 자리 잡게 한 중요한 이유이다.

제5장
까치, 자연 속에서 살아남다

1. 까치의 생태학,
자연의 작은 생존자

까치는 뛰어난 적응력을 지닌 새로, 자연 속에서 그들만의 독특한 생태를 형성하며 살아가고 있다. 이들은 아시아, 유럽, 북미 등 전 세계의 다양한 환경에서 발견되며, 각각의 지역에서 자연에 특화된

행동과 생존 전략을 보여준다. 까치의 생태학은 단순히 그들의 생활 방식을 넘어, 자연의 복잡성과 균형을 이해하는 데 중요한 단서를 제공한다.

까치의 생태적 성공 비결 중 하나는 다양한 식성을 갖춘 점이다. 까치는 곤충, 과일, 씨앗, 작은 동물, 심지어 인간이 남긴 음식까지 섭취한다. 이러한 식성은 그들이 다양한 환경에 적응할 수 있게 하며, 계절에 따라 먹이의 종류를 유연하게 바꿀 수 있도록 한다. 예를 들어, 여름에는 곤충을 주로 먹으며, 겨울에는 씨앗과 열매로 식단을 전환한다. 이러한 행동은 까치가 계절적 자원 부족 문제를 극복하는 데 큰 도움을 준다.

까치는 높은 지능을 지닌 새로도 유명하다. 연구에 따르면 까치는 거울에 비친 자신의 모습을 인식할 수 있는 몇 안 되는 동물 중 하나다. 이는 까치가 자기 인식을 포함한 복잡한 인지 능력을 가지고 있음을 보여준다. 이러한 지능은 까치가 먹이를 숨기고 다시 찾아내거나, 위험을 감지해 신속히 대처하는 데 유리하다. 한 연구에서는 까치가 먹이를 숨

길 때 다른 까치가 지켜보고 있는지 확인하고, 누군
가 지켜보고 있다면 먹이를 다시 숨기는 행동을 보
였다고 보고했다. 이는 까치가 단순한 본능적 행동
을 넘어선 전략적 사고를 한다는 증거다.

　또한, 까치의 둥지 만들기 기술은 그들의 생존 능
력을 잘 보여준다. 까치는 큰 나뭇가지에서 잔가지를
꼬아 둥지를 만들며, 둥지의 구조는 외부로부터 알을
보호하기 위한 복잡한 설계를 포함한다. 일부 까치는
가시가 많은 나뭇가지를 사용해 포식자가 둥지에 접
근하지 못하게 하기도 한다. 이러한 행동은 까치가
단순히 자연에 적응하는 것이 아니라, 적극적으로 환
경을 활용하고 조작한다는 것을 보여준다.

　현대 사회에서도 까치는 여전히 생태학적으로 중
요한 역할을 한다. 예를 들어, 까치는 곤충 개체 수
를 조절하거나, 씨앗을 운반해 숲의 생태계를 확장
하는 데 기여한다. 이러한 생태적 역할은 까치가 단
순히 생존하는 새가 아니라, 자연 속에서 중요한 기
능을 수행하는 존재임을 강조한다.

2. 농경 사회의,
친구와 적

　농경 사회에서 까치는 사람들과 복잡한 관계를
맺어왔다. 까치는 한편으로는 농부들에게 유익한 동
물로 여겨졌지만, 다른 한편으로는 작물을 훼손하는
골칫덩이로 간주되기도 했다. 이러한 이중적 관계는

까치가 농경 사회에서 어떻게 인식되었는지를 잘 보여준다.

　까치는 농경 사회에서 해충을 잡아먹는 유익한 새로 여겨졌다. 농작물을 파괴하는 곤충을 제거하며, 농부들에게 자연의 해충 방제 역할을 했다. 예를 들어, 한 농경 지역 연구에서는 까치가 곡물에 피해를 입히는 벌레를 하루에 수백 마리 이상 섭취한다는 사실이 밝혀졌다. 이러한 행동은 까치가 농작물의 수확량을 증가시키는 데 기여했음을 의미한다.

　그러나 까치는 농부들에게 피해를 주는 존재로도 인식되었다. 익은 곡식이나 과일을 훔쳐 먹는 까치의 습성은 농부들에게 큰 골칫거리였다. 특히, 수확기에는 까치가 무리를 지어 작물을 공격하는 경우도 많아 농작물의 손실을 초래했다. 이러한 피해를 줄이기 위해 농부들은 다양한 방법을 시도했다. 예를 들어, 허수아비를 세우거나, 소리를 내는 장치를 설치해 까치를 쫓아내려 했다. 하지만 까치는 금방 허수아비에 익숙해지고, 소음에도 적응하는 모습을 보였다.

이러한 이중적 관계는 까치가 단순히 해충을 잡아 먹는 유익한 새나 작물을 훼손하는 해로운 새로 정의될 수 없음을 보여준다. 농경 사회에서 까치는 인간과 자연의 복잡한 상호작용을 상징하며, 자연의 균형 속에서 사람들과 공존하는 방식을 탐구하게 한다.

현대에는 이러한 관계가 더욱 복잡해졌다. 농경 사회가 산업화되면서 까치의 역할은 줄어들었지만, 여전히 농촌 지역에서는 까치가 중요한 생태적 역할을 수행하고 있다. 예를 들어, 일부 농부들은 까치를 보호하며, 그들이 농작물의 곤충 피해를 줄이는 데 도움을 주기를 기대한다. 이는 까치가 농경 사회에서 인간과 자연의 공존을 탐구하는 중요한 사례임을 보여준다.

3. 도시 속 까치,
인간과의 공존

　까치는 도시 환경에서도 그 독특한 생존 능력을
발휘하며 인간과 공존하고 있다. 까치가 도시로 진
입한 이유는 도시화와 서식지 파괴로 인한 환경 변
화 때문이다. 하지만 까치는 이러한 변화에 빠르게

적응하며 도시 생태계의 일부로 자리 잡았다.

까치는 도시에서 다양한 먹이를 찾아내는 데 매우 능숙하다. 음식물 쓰레기에서 곤충과 씨앗을 찾아내거나, 길거리에 떨어진 음식물을 섭취하며 살아간다. 이러한 적응력은 까치가 도시 환경에서도 생존할 수 있게 하는 주요 요인이다. 또한, 까치는 도시의 건물과 나무를 활용해 둥지를 만들며, 포식자로부터 안전한 환경을 구축한다. 일부 연구에서는 까치가 전봇대와 같은 인공 구조물에 둥지를 짓는 사례를 기록하기도 했다.

도시 속 까치는 인간과의 상호작용에서도 독특한 모습을 보인다. 까치는 사람을 두려워하지 않고, 오히려 인간의 행동을 관찰하며 학습한다. 예를 들어, 한 연구에서는 까치가 교통 신호를 이해하고, 신호등이 빨간불일 때 도로를 건너는 모습을 보였다는 보고가 있다. 이러한 행동은 까치가 단순히 환경에 적응하는 것을 넘어, 인간과의 공존 방식을 학습하고 있음을 보여준다.

그러나 까치와 인간의 공존에는 갈등도 존재한다. 까치는 도시 환경에서 소음을 유발하거나, 쓰레기를 뒤지는 행동으로 인해 일부 주민들에게 불편을 주기도 한다. 이러한 갈등을 해결하기 위해 일부 도시에서는 까치의 서식지를 관리하거나, 까치가 접근하지 못하도록 하는 방안을 모색하고 있다. 동시에, 까치의 생태적 역할을 이해하고 그들을 보호하려는 움직임도 있다. 예를 들어, 한 환경 단체는 도시에서 까치가 해충을 잡아먹으며 생태계의 균형을 유지하는 데 기여한다는 점을 강조하며, 까치를 보호하는 캠페인을 전개했다.

도시는 까치에게 새로운 도전과 기회를 제공하는 공간이다. 까치의 적응력과 생존 능력은 도시 환경에서도 빛을 발하며, 인간과 자연이 조화롭게 공존할 수 있는 가능성을 보여준다. 까치는 도시 생태계의 중요한 구성원으로 자리 잡았으며, 그들의 존재는 인간과 자연의 관계를 재고하게 한다.

4. 환경 변화가,
까치에 미친 영향

　환경 변화는 까치의 생존 방식과 생태적 역할에 큰 영향을 미쳤다. 특히, 기후 변화와 도시화는 까치의 서식지와 행동 패턴에 지대한 변화를 가져왔다. 이러한 변화는 까치가 환경에 얼마나 민감하게 반응하며 적응하는지를 보여주는 동시에, 자연과 인간의 상호작용이 생태계에 미치는 영향을 반영한다.

기후 변화는 까치의 생태에 중요한 도전 과제를 안겨 주었다. 예를 들어, 겨울철 기온 상승은 까치의 먹이 섭취와 번식에 직접적인 영향을 미쳤다. 기존에는 추운 겨울 동안 곤충이나 먹이 자원이 부족했지만, 기온 상승으로 인해 겨울에도 먹이를 찾는데 유리한 환경이 조성되었다. 이는 까치의 번식 시기가 변화하거나, 겨울철 생존율이 높아지는 결과를 초래했다. 그러나 이러한 변화가 장기적으로 까치의 생태계에 미칠 영향을 예측하기는 어렵다. 일부 연구에서는 기후 변화가 까치의 서식지 경쟁을 증가시킬 수 있다는 우려를 제기하고 있다.

또한, 도시화는 까치의 생존 환경을 급격히 변화시켰다. 숲과 들판이 줄어들면서 까치는 도시로 이동할 수밖에 없었다. 도시 환경에서 까치는 새로운 서식지를 찾아 적응했지만, 인간과의 갈등은 피할 수 없었다. 예를 들어, 도시에서 까치는 쓰레기를 뒤지거나 소음을 유발하는 행동으로 인해 일부 주민들에게 불만을 사기도 했다. 반면, 까치는 도시에서 새로운 먹이 자원을 발견하며 번창할 수 있었다. 이는 까치의 적응력을 보여주는 동시에, 도시 환경이 생태계에 미치는 양면성을 드러낸다.

환경 변화가 까치에게 미친 긍정적 영향도 있다. 까치는 새로운 환경에서 생존과 번영을 위한 창의적인 방법을 개발하며, 생태계에서 중요한 역할을 계속 수행하고 있다. 예를 들어, 까치는 도심 공원이나 녹지 공간에서 해충을 잡아먹으며 도시 생태계를 균형 있게 유지하는 데 기여하고 있다. 이러한 역할은 까치가 단순한 적응을 넘어, 인간과 자연의 공존 가능성을 탐구하게 한다.

결국, 까치의 생존은 환경 변화 속에서도 자연과 인간의 조화를 모색하는 중요한 사례로 남아 있다. 까치는 변화하는 환경에 적응하며, 생태계에서의 역할을 계속 확장해 나가고 있다. 이러한 까치의 이야기는 인간이 자연과 어떻게 조화를 이루며 살아갈 수 있는지를 다시금 생각하게 한다.

제6장
예술 속 까치, 창작의 길잡이

1. 민화 속 까치,
호작도의 상징

　까치는 한국 민화에서 독특한 상징으로 자리 잡고 있다. 특히, 호랑이와 함께 등장하는 호작도(虎鵲圖)는 까치가 예술에서 어떤 역할을 해왔는지를 잘 보여주는 대표적인 작품이다. 호작도는 호랑이와 까치가 함께 그려진 민화로, 호랑이는 권위와 강인함을, 까치는 길조와 기쁨을 상징한다. 이 두 존재가 조화를 이루는 모습은 단순한 그림을 넘어선 철학적 의미를 담고 있다.

호작도에서 호랑이는 주로 위엄 있는 자세로 묘사되지만, 까치가 곁에 등장하면 그 분위기는 훨씬 부드러워진다. 까치는 날아오르거나 가지에 앉아 호랑이를 바라보며 웃는 듯한 표정을 짓고 있다. 이러한 대조는 호랑이의 강인함과 까치의 밝은 에너지가 조화를 이루는 모습을 보여준다. 이는 인간 사회에서도 강자와 약자가 서로 공존하며 화합할 수 있음을 상징적으로 나타낸다.

민화에서 까치는 단순히 길조를 상징하는 존재를 넘어, 희망과 소통을 상징한다. 호작도의 까치는 인간과 자연, 강자와 약자의 상호작용을 시각적으로 표현하며, 전통 사회에서 사람들이 지향했던 이상적인 관계를 드러낸다. 이러한 까치의 이미지는 오늘날에도 희망과 소통을 상징하는 시각적 언어로 사용된다.

현대에 들어 호작도의 의미는 다양한 해석을 통해 확장되고 있다. 예술가들은 호작도의 전통적인 요소를 재해석해 현대적인 작품으로 재탄생시키고 있다. 한 예로, 최근 전시된 현대 민화 작품에서는 까치와 호랑이가 도심 배경에서 함께 나타나며, 현대 사회에서도 조화와 화합이 중요한 가치임을 강조했다. 이러한 시도는 까치가 과거의 상징에서 벗어나, 오늘날에도 여전히 공감되는 주제를 전달할 수 있음을 보여준다.

까치는 민화 속에서 단순한 새 이상의 존재로 묘사되며, 인간과 자연, 그리고 공동체의 조화를 상징한다. 이러한 까치의 모습은 과거에도, 현재에도, 그리고 미래에도 예술 속에서 계속 살아 숨 쉴 것이다.

2. 장욱진 화백과,
   현대 미술 속 까치

　현대　한국　미술에서　까치는　전통적인　상징에서
벗어나　새로운　시각적　언어로　재탄생했다.　특히,　장
욱진　화백의　작품은　까치를　현대　미술에서　독창적
으로　표현한　대표적인　사례다.　그의　그림　속　까치는

단순한 자연의 새가 아니라, 인간의 감정과 내면 세계를 상징적으로 담아내는 존재로 나타난다.

장욱진 화백의 작품에서 까치는 때로는 가족의 화목을 상징하고, 때로는 인간의 고독과 희망을 상징한다. 그의 대표작 중 하나인 "가족" 시리즈에서는 까치가 나무 위에 앉아 가족을 바라보는 모습이 그려져 있다. 이 작품에서 까치는 가족을 지켜보는 수호자처럼 묘사되며, 그들의 유대와 사랑을 상징적으로 표현한다. 반면, "고독한 새" 시리즈에서는 까치가 홀로 나무 가지에 앉아 있는 모습이 그려지며, 인간이 느끼는 고독과 사색의 순간을 암시한다.

장욱진의 작품에서 까치는 간결한 선과 부드러운 색채로 표현되며, 현대적이면서도 한국적인 정서를 담고 있다. 이는 까치가 단순히 전통적 상징을 넘어, 현대인의 감정과 이야기를 담는 매개체로 사용될 수 있음을 보여준다. 그의 작품은 까치가 현대 미술에서도 얼마나 유연하고 풍부한 상징으로 활용될 수 있는지를 잘 보여주는 사례다.

최근에는 장욱진 화백의 영향을 받은 현대 작가들이 까치를 주제로 다양한 작품을 선보이고 있다. 예를 들어, 한 신진 작가는 까치를 디지털 아트로 재해석해, 도시와 자연의 조화를 표현하는 작품을 발표했다. 이처럼 까치는 전통과 현대를 아우르며, 예술에서 끊임없이 새롭게 해석되고 있다.

장욱진 화백과 그의 뒤를 잇는 작가들의 작업은 까치가 단순한 자연의 존재를 넘어, 인간의 삶과 예술적 상상력을 풍부하게 만드는 영감의 원천임을 보여준다.

3. 음악 속 까치,
전통과 현대의 조화

    까치는 한국 음악에서도 중요한 소재로 다뤄져 왔다. 전통 민요에서 까치는 길조와 희망을 상징하며, 사람들에게 기쁨과 활기를 불어넣는 존재로 노래되었다. "까치 까치 설날은 어저께고요~"로 시작하는 동요는 한국인이라면 누구나 알고 있는 곡으로, 까치가 설날과 희망의 상징으로 자리 잡았음을 잘 보여준다.

민요에서도 까치는 자주 등장한다. 예를 들어, 전라도 지역의 민요에서는 까치의 울음소리가 복을 부르는 신호로 노래된다. 이러한 노래들은 단순히 까치의 존재를 묘사하는 데 그치지 않고, 까치가 전하는 희망과 기쁨의 메시지를 담고 있다.

현대 음악에서도 까치는 다양한 방식으로 재해석되고 있다. 한 대중가요에서는 까치가 도시에서 살아가는 현대인의 삶을 상징하며, 도전과 희망의 메시지를 전달한다. 이 곡에서 까치는 고난 속에서도 희망을 잃지 않고 살아가는 모습을 상징적으로 표현한다. 또한, 한 전자음악 작가는 까치의 울음소리를 샘플링해 독창적인 사운드 트랙을 제작하며, 까치의 자연적 울음소리가 현대 음악에서도 매력적인 요소로 활용될 수 있음을 보여줬다.

음악 속 까치는 전통과 현대를 연결하는 중요한 소재로, 한국인의 정체성과 희망을 표현하는 데 없어서는 안 될 존재다. 까치가 가진 상징성과 그들의 울음소리는 앞으로도 한국 음악에서 다양한 방식으로 재탄생할 것이다.

4. 드라마와 영화 속,
까치의 역할

　한국의 드라마와 영화에서는 까치가 단순한 새를 넘어 중요한 상징으로 자주 등장한다. 까치는 주로 길조나 메시지를 전달하는 존재로 묘사되며, 이야기

의 전환점에서 중요한 역할을 한다. 까치의 존재는 극의 흐름을 더욱 풍성하게 만들고, 관객들에게 깊은 인상을 남긴다.

한 예로, 인기 드라마에서 까치는 주인공에게 중요한 메시지를 전달하는 상징으로 활용되었다. 극 중 까치가 울던 장면은 주인공이 삶의 중대한 결정을 내리는 순간과 맞물려 긴장감과 감동을 더했다. 이 장면에서 까치는 단순히 자연의 일부가 아니라, 주인공의 내면적 변화를 상징하며 관객들에게 강렬한 여운을 남겼다. 까치가 등장한 이 순간은 이야기의 전개에 결정적인 영향을 미쳤으며, 까치가 어떻게 극 중 상징적 장치로 사용될 수 있는지를 잘 보여준다.

영화에서는 까치가 인간과 자연의 관계를 상징하는 매개체로 자주 그려진다. 한 독립 영화에서는 까치가 현대 도시 속에서 살아가는 사람들의 고립감을 표현하는 동시에, 자연과의 단절을 극복하려는 주인공의 여정을 담았다. 이 영화에서 까치는 주인공의 변화를 돕는 존재로, 인간과 자연의 조화를 탐구하는 깊이 있는 상징으로 자리 잡았다. 까치의 울음소리나 날갯짓 같은 세밀한 표현들은 자연의 회복 가능성을 암시하며 관객들에게 큰 울림을 주었다.

드라마와 영화 속 까치는 현대 사회에서 사람들이 느끼는 고독, 희망, 그리고 관계의 회복을 상징적으로 드러낸다. 까치가 등장하는 작품들은 단순히 자연을 배경으로 하는 것을 넘어, 인간의 삶과 환경, 그리고 내면적 성장을 연결하는 상징으로 활용된다.

이러한 까치의 상징적 역할은 앞으로도 더욱 창의적이고 다양한 방식으로 확장될 가능성이 크다. 기술 발전과 새로운 스토리텔링 방식의 등장으로 까치는 더욱 입체적이고 독창적인 상징으로 발전할 수 있을 것이다. 이는 까치가 단순히 과거의 상징에 머무르지 않고, 현대와 미래의 이야기를 통해도 인간과 자연, 삶의 조화를 탐구하는 매개체로 계속해서 사랑받을 가능성을 보여준다.

제7장
언어와 문학 속 까치의 비행

1. "까치가 울면 손님이 온다",
속담의 유래

"까치가 울면 손님이 온다"라는 속담은 한국인들에게 널리 알려진 표현이다. 이 속담은 단순히 까치의 울음소리에 손님의 방문을 연결한 것처럼 보이지만, 그 기원과 의미를 살펴보면 자연과 인간의 관계, 그

리고 한국인의 독특한 사고방식을 엿볼 수 있다.

까치는 오랜 세월 동안 한국에서 길조로 여겨졌다. 까치의 울음소리가 희망적인 소식이나 반가운 손님의 방문을 예고한다고 믿는 관습은 농경 사회에서 자연스럽게 형성되었다. 농경 사회에서 사람들은 자연 현상과 인간 활동을 긴밀하게 연결 지었으며, 까치는 자연의 전령으로 간주되었다. 특히, 아침에 들리는 까치의 울음소리는 새로운 하루의 시작을 알리는 기쁨의 신호로 여겨졌다. 이와 같은 맥락에서 까치의 울음은 희망과 설렘을 상징하게 되었다.

속담의 유래는 역사적 기록에서도 확인할 수 있다. 조선 시대 문헌인 『동국세시기』에는 설날 아침 까치가 울면 한 해가 평안하리라는 믿음이 기록되어 있다. 이는 단순히 새의 울음소리가 아니라, 까치가 전달하는 메시지에 대한 신앙적 의미를 반영한 것이다. 까치는 단순한 새가 아니라, 자연과 인간 사이를 연결하는 중요한 매개체로 여겨졌다.

현대에 들어서도 이 속담은 여전히 사회적 맥락

에서 사용된다. 예를 들어, 사람들이 뜻밖의 방문객을 맞이하거나 좋은 소식을 접했을 때, "까치가 울었나 봐"라는 표현을 사용하며 전통적인 믿음을 유지한다. 한편, 이러한 속담은 단순한 민속적 표현을 넘어, 인간이 자연과 맺는 관계를 상징적으로 보여주는 사례로 해석될 수 있다.

다양한 지역에서도 까치와 관련된 속담이 전해진다. 중국에서는 까치를 "희조(喜鳥)"로 부르며, 길조로 여기는 문화가 있다. 유럽에서도 까치의 행동을 기반으로 한 속담이 있으며, 까치가 집 근처를 맴돌면 손님이 온다는 믿음이 있다. 이러한 속담들은 문화권마다 차이는 있지만, 까치가 희망과 소식을 상징한다는 공통점을 공유한다.

결국, "까치가 울면 손님이 온다"는 단순한 속담 이상의 의미를 담고 있다. 이는 자연과 인간, 과거와 현재를 연결하는 상징적 표현으로, 까치가 가진 문화적 가치를 잘 보여준다. 속담은 우리가 자연을 어떻게 바라보고, 그 속에서 어떤 메시지를 발견하는지를 보여주는 중요한 언어적 유산이다.

2. 까치와 한국 문학,
시와 소설의 주제

　까치는 한국 문학에서 자주 등장하는 소재로, 시와 소설을 통해 인간의 감정과 이야기를 담아내는 중요한 매개체 역할을 해왔다. 까치는 길조, 희망, 자연의 소리로 묘사되며, 때로는 인간의 내면 세계

를 반영하는 상징적 존재로 등장한다.

한국의 시문학에서 까치는 자연을 예찬하고 인간의 정서를 표현하는 데 활용된다. 대표적으로 김소월의 시 "까치 소리"는 까치의 울음소리를 통해 고향에 대한 그리움과 자연에 대한 애정을 표현한다. 까치의 울음은 단순히 자연의 소리가 아니라, 시인의 내면을 비추는 거울로 작용하며, 독자들에게 정서적 공감을 불러일으킨다. 까치의 이미지는 고독과 희망, 그리고 자연과 인간의 연결성을 강조하는 도구로 사용된다.

현대 소설에서도 까치는 중요한 역할을 한다. 예를 들어, 한강 작가의 소설에서는 까치가 인간과 자연의 관계를 상징하는 존재로 묘사되며, 주인공의 삶에 깊은 영향을 미친다. 이러한 까치의 등장은 단순히 서사적 장치에 그치지 않고, 인간이 자연과 맺는 복잡한 관계를 탐구하는 수단으로 작용한다. 또다른 소설에서는 까치가 주인공의 운명을 변화시키는 기폭제로 등장하기도 한다. 까치가 울던 날, 주인공은 중요한 결정을 내리고, 그 결정은 이야기의 전환점을 제공한다.

까치와 관련된 문학 작품들은 독자들에게 자연의 아름다움과 인간의 내면을 동시에 느끼게 한다. 이는 단순한 새의 묘사를 넘어, 문학 작품의 깊이와 감정을 풍부하게 만드는 중요한 요소다.

3. 민요 속 까치,
노랫말의 상징성

　까치는 한국 민요에서도 중요한 소재로 자주 등
장한다. 민요는 한국 전통 음악의 중심축을 이루며,
민중의 삶과 정서를 담아낸다. 까치는 이러한 민요
속에서 희망과 기쁨, 그리고 자연과 인간의 조화를

상징하는 존재로 표현된다.

대표적인 예로 "까치 타령"은 까치가 길조로 등장하는 민요로, 농경 사회에서 사람들에게 희망과 활력을 주는 존재로 그려진다. 이 노래는 단순히 까치의 울음소리를 묘사하는 데 그치지 않고, 까치를 통해 삶의 기쁨과 풍요를 노래한다. "까치가 울면 복이 온다"는 노랫말은 단순한 구절처럼 보이지만, 당시 사람들의 소망과 바람을 담은 깊은 의미를 가지고 있다.

또한, 민요 속 까치는 자연과의 조화로운 관계를 상징적으로 보여준다. 민요에서는 까치의 울음소리를 자연의 일부로 받아들이며, 이를 통해 인간과 자연이 함께 어우러지는 모습을 그린다. 이러한 노랫말은 단순한 즐거움을 넘어, 공동체의 가치와 조화의 중요성을 노래하는 메시지를 전달한다.

현대 음악에서도 민요 속 까치의 상징은 재해석되고 있다. 전통 민요를 현대적으로 편곡한 음악에서는 까치가 도시와 농촌을 연결하는 매개체로 활용되며, 전통과 현대의 융합을 상징적으로 보여준다. 이러한 재해석은 까치가 전통을 넘어 현대에서도 여전히 의미 있는 존재임을 나타낸다. 또한, 해외에서도 한국 민요에 포함된 까치의 상징성이 주목받으며, 다양한 문화 교류의 소재로 활용되고 있다.

4. 서양 문학과 까치,
다문화적 비교

까치는 서양 문학에서도 흥미로운 상징으로 등장한다. 한국에서 까치가 주로 길조로 여겨지는 반면, 서양에서는 까치가 양면적 의미를 가진다. 이는 각 문화가 자연과 인간의 관계를 어떻게 바라보는지에 따라 다르게 나타난다.

서양 문학에서 까치는 종종 신비로운 존재로 묘사된다. 에드거 앨런 포의 "The Raven"에서 까치와 비슷한 까마귀는 죽음과 어둠을 상징하며, 작품 전체에 긴장감을 더한다. 이러한 묘사는 서양 문학에서 까치가 단순한 새를 넘어 인간의 내면과 초자연적인 요소를 탐구하는 상징으로 활용된다는 것을 보여준다.

또한, 셰익스피어의 작품에서는 까치가 지혜와 교활함의 상징으로 등장한다. "헨리 6세"에서는 까치가 왕실의 음모와 연결되어 묘사되며, 권력과 인간 본성의 복잡한 관계를 탐구한다. 이처럼 서양 문학에서 까치는 인간의 어두운 면을 비추는 거울로 활용되며, 이야기의 심층적 주제를 드러낸다.

서양에서는 까치가 초자연적 요소와 인간의 본성을 탐구하는 상징으로 자주 사용되지만, 한국에서는 희망과 복의 상징으로 주로 그려진다. 이러한 비교는 까치가 다양한 문화에서 어떻게 다르게 해석되고 상징화되는지를 보여주는 흥미로운 사례다. 현대 서양 문학에서는 까치가 환경 보호의 상징으로 등장하며, 자연과 인간의 조화로운 공존을 탐구하는 매개체로도 사용되고 있다.

제8장
까치, 기록된 역사 속으로

1. 삼국시대 문헌 속,
까치 이야기

　까치에 대한 기록은 삼국시대의 문헌에서부터 확인된다. 『삼국사기』와 『삼국유사』 같은 고대 역사서에는 까치가 단순한 새를 넘어 중요한 역할을 수행하는 상징적 존재로 묘사된다. 이러한 기록은 당시 사람들의 자연관과 까치에 대한 특별한 인식을 엿볼 수 있는 중요한 자료다.

『삼국사기』의 한 기록에 따르면, 신라의 한 왕은 까치가 울음을 통해 적의 침입을 알렸다는 전설을 언급한다. 이 이야기는 까치가 단순한 새가 아니라 인간 사회에 유익한 정보를 전달하는 자연의 전령으로 여겨졌음을 보여준다. 까치의 울음은 단순히 소리가 아니라, 중요한 사건을 예고하는 메시지로 받아들여졌다. 이러한 기록은 까치가 인간과 자연 사이에서 어떤 매개 역할을 했는지를 잘 나타낸다.

또한, 『삼국유사』에는 까치와 관련된 설화가 포함되어 있다. 예를 들어, 한 승려가 깊은 산속에서 까치의 울음소리를 듣고 안전한 경로를 찾아냈다는 이야기가 전해진다. 이 설화는 까치가 단순히 자연의 일부가 아니라, 인간과 상호작용하며 도움을 주는 존재로 여겨졌음을 시사한다. 까치는 이렇게 삼국시대부터 길조와 안내자의 역할을 맡으며 한국인의 정신적 상징으로 자리 잡았다.

삼국시대의 이러한 기록은 까치가 당시 사람들에게 중요한 영감을 제공했음을 보여준다. 이는 단순한 자연 현상의 기록을 넘어, 자연과 인간의 관계를 이해하는 데 중요한 단서를 제공한다. 까치가 인간 사회에서 어떤 의미를 가지며, 그 상징이 어떻게 형성되었는지 살펴볼 수 있는 귀중한 역사적 자료다.

2. 조선 왕조실록에서,
발견한 까치

　　조선 시대의 왕조실록은 까치에 대한 기록을 통해 당시 사람들의 자연관과 까치에 대한 인식을 엿볼 수 있는 중요한 사료다. 특히, 『조선왕조실록』에는 까치가 국가와 왕실의 길조로 간주되었다는 내

용이 자주 등장한다.

까치와 관련된 가장 유명한 기록 중 하나는 태조 이성계와 관련된 일화다. 태조가 전주 지역을 떠나 새로운 수도를 건설하려던 시점에 까치가 길을 안내했다는 이야기는 조선 건국의 상징적 사건으로 여겨진다. 이 일화에서 까치는 단순한 새가 아니라, 신성한 전령이자 왕조의 시작을 알리는 존재로 묘사된다. 이러한 까치의 이미지는 조선 왕조 내내 지속되며, 길조로서의 상징적 역할을 강화했다.

또한, 『조선왕조실록』에는 중요한 국사를 앞두고 까치가 나타난 사건이 기록되어 있다. 왕실의 중요한 의식이나 국가적 행사를 앞둔 시점에서 까치의 출현은 행운과 성공을 예고하는 신호로 해석되었다. 이러한 기록은 까치가 조선 시대 사람들에게 단순한 자연의 존재가 아니라, 신성한 존재로 받아들여졌음을 보여준다.

이뿐만 아니라, 조선 시대의 학자들은 까치의 행

동을 관찰하며 자연과 인간의 관계를 연구했다. 조선 후기 실학자 정약용은 까치의 둥지 만드는 방식을 연구하며, 자연 속에서의 생존 전략에 대한 통찰을 얻었다. 그는 자신의 저서에서 까치의 행동이 인간 사회에도 중요한 교훈을 줄 수 있다고 언급했다. 이러한 연구는 까치가 자연과 인간의 조화를 이해하는 데 중요한 역할을 했음을 나타낸다.

3. 근대 신문과,
까치의 사회적 의미

근대에 들어 신문과 잡지가 등장하면서 까치는
전통적 상징성을 넘어 새로운 맥락에서 다뤄지기
시작했다. 19세기 말과 20세기 초, 한국의 신문들
은 까치를 단순한 길조의 상징으로만 묘사하지 않

고, 사회적 메시지를 전달하는 강력한 도구로 활용했다.

　대표적으로, 독립신문에서는 까치를 희망과 자유를 상징하는 존재로 자주 언급했다. 독립운동가들은 까치의 이미지를 민족의 독립과 희망을 표현하는 데 활용했다. 한 칼럼에서는 까치가 울면 좋은 소식이 온다는 전통적 믿음을 독립운동의 성공 가능성과 연결 지으며, 사람들에게 희망과 용기를 불어넣었다. 이는 까치가 단순히 자연의 일부가 아니라, 독립운동이라는 역사적 맥락에서 민족적 의지를 고취하는 상징으로 재탄생했음을 보여준다.

　또한, 매일신보와 같은 근대 신문에서는 까치와 관련된 다양한 기사들이 실렸다. 까치가 농작물을 보호하거나, 집 주변에서 보인 까치의 행동을 통해 자연의 변화를 예측하는 사례들이 소개되었으며, 이를 통해 까치는 실질적인 정보를 제공하는 유용한 존재로 여겨졌다. 이러한 기사들은 까치가 길조로서뿐만 아니라 사람들의 일상과 실용적인 삶에 직접적으로 연결된 존재임을 강조했다.

까치의 이미지는 신문과 잡지에서 사회적 메시지
를 전달하는 매개체로 활용되었을 뿐만 아니라, 전
통적 믿음을 새로운 시각으로 재조명하는 데에도
중요한 역할을 했다. 신문은 까치를 길조의 상징으
로 다루는 것을 넘어, 독립운동, 농업, 생태 변화 등
다양한 주제와 연결시키며 현대적 상징으로 확장시
켰다.

이러한 변화는 까치가 현대 사회에서도 여전히
중요한 상징적 역할을 수행하고 있음을 잘 보여준
다. 신문과 잡지 속에서 까치는 단순히 과거의 믿음
을 반복하는 것이 아니라, 새로운 시대의 요구와 맥
락에 맞게 재해석되어 독자들에게 깊은 메시지를
전달하는 존재로 자리 잡았다.

결과적으로, 근대 언론에서 까치는 전통과 현대를
잇는 매개체로 기능하며, 사람들에게 희망과 실질적
인 정보를 제공하는 동시에 사회적 변화를 상징하

는 역할을 했다. 이러한 활용은 까치가 여전히 한국
문화 속에서 중요한 의미를 지니고 있으며, 그 상징
성이 앞으로도 지속적으로 발전할 가능성이 크다는
것을 시사한다.

4. 현대 연구가 주목한,
까치의 새로운 면모

　현대에 들어 까치에 대한 연구는 과학적 접근을 통해 까치의 새로운 면모를 밝혀내며, 인간과 자연의 관계를 이해하는 데 중요한 통찰을 제공하고 있다. 까치는 생태학, 행동학, 그리고 환경과학 분야에

서 연구자들의 관심을 끌며, 단순한 전통적 상징을 넘어 과학적으로도 흥미로운 사례로 다뤄지고 있다.

한 연구에 따르면, 까치는 높은 인지 능력을 가진 새로, 거울을 통해 자신을 인식할 수 있는 몇 안 되는 동물 중 하나다. 이는 자기 인식을 통해 자신의 존재를 이해하는 능력을 보여주는 사례로, 까치가 단순히 본능적으로 행동하는 동물이 아니라, 전략적으로 사고하는 고등 생명체임을 입증한다. 까치는 자신이 숨긴 먹이를 다시 찾을 때, 다른 까치의 시선을 의식하며 행동을 조정하는 모습을 보인다. 이러한 복잡한 사회적 행동은 까치가 고도의 인지적 유연성을 가지고 있으며, 이를 통해 생존 전략을 더욱 정교하게 구사한다는 사실을 시사한다.

뿐만 아니라, 까치와 환경 변화 간의 상호작용을 분석하는 연구도 활발히 진행되고 있다. 도시화가 진행됨에 따라 까치는 도시 환경에 적응하며 새로운 생태적 역할을 맡고 있다. 한 연구에서는 까치가 도시 공원에서 해충 개체 수를 조절하며 도시 생태계의 균형을 유지하는 데 중요한 역할을 한다는 사실이 밝혀졌다. 이는 까치가 인간이 만든 환경에서도 생태계의 중요한 구성원으로 자리 잡을 수 있음을 보여준다. 도시 속 까치의 적응력은 인간과 자연의 경계에서 발생하는 복잡한 상호작용을 이해하는 데 중요한 사례로 활용되고 있다.

또한, 까치의 행동과 생태적 역할에 대한 연구는 환경 보전의 관점에서도 중요한 시사점을 제공한다. 까치는 숲과 도시를 연결하는 매개체로, 씨앗을 퍼뜨리거나 해충을 통제하며 자연 생태계의 지속 가능성을 높인다. 이러한 연구는 까치가 인간과 자연이 조화를 이루며 공존할 가능성을 상징적으로 보여줄 뿐 아니라, 실질적인 환경 보전 노력에도 기여할 수 있음을 시사한다.

현대 연구는 까치가 단순히 전통적 상징에 머무르지 않고, 과학적 탐구를 통해 더욱 풍부한 의미와 역할을 지니고 있음을 증명하고 있다. 까치는 과거와 현재, 자연과 도시를 연결하는 존재로서 인간과 자연 간의 관계를 이해하는 데 중요한 실마리를 제공한다. 이는 까치가 생물학적 연구뿐만 아니라, 생태적 가치와 환경 보전의 메시지를 전달하는 중요한 사례로 여전히 주목받는 이유다.

결론적으로, 까치에 대한 현대 연구는 단순히 전통적 의미를 되새기는 데 그치지 않고, 과학적 발견을 통해 까치가 지닌 놀라운 특성과 역할을 새롭게 조명하고 있다. 까치는 인간과 자연의 경계에서 끊임없이 적응하며 공존의 가능성을 제시하는 상징적 존재로, 우리의 관심과 보호가 필요한 중요한 생명체임을 다시금 확인시켜 준다.

제9장
건축 속 까치, 지붕 위의 손님

1. 까치구멍집,
전통 주거 문화의 상징

    까치구멍집은 한국 전통 주거 건축의 독특한 상징이자, 자연과 인간이 조화롭게 공존했던 과거 농경 사회의 흔적을 보여준다. 까치구멍집이란 지붕과 벽 사이에 남겨진 작은 공간, 이른바 "까치구멍"이 특징

인 집을 말한다. 이 공간은 자연스럽게 새와 까치가 둥지를 틀거나 머무를 수 있는 장소로 활용되었으며, 이는 단순한 건축적 특징을 넘어 인간과 자연이 어떻게 조화롭게 살아왔는지를 상징적으로 보여준다.

까치구멍집의 기원은 농경 사회에서 시작되었다. 까치는 길조로 여겨졌고, 까치가 집 주변에 둥지를 틀면 복과 행운이 깃든다고 믿었다. 따라서 까치가 자유롭게 드나들 수 있는 공간을 마련해주는 것이 자연스러운 풍습으로 자리 잡았다. 이러한 까치구멍은 단순히 까치만을 위한 공간이 아니라, 겨울철 환기구로도 활용되며 건축적으로도 실용성을 갖췄다.

까치구멍집은 특히 한옥에서 자주 볼 수 있다. 지붕 끝자락이나 처마 아래 남겨진 공간은 까치뿐 아니라 제비나 참새 같은 다른 새들에게도 쉼터가 되었다. 이는 자연과의 공존을 중요하게 여겼던 당시의 철학을 잘 보여준다. 까치구멍을 통해 인간은 자연의 일부로서 새와 공존하며, 서로 이익을 나누는 관계를 유지했다.

오늘날에도 까치구멍집은 한국 전통 건축의 아름다움과 실용성을 상징하는 요소로 평가받고 있다. 일부 복원된 전통 마을에서는 까치구멍집을 현대적으로 재해석해 관광객들에게 전시하고 있다. 이러한 노력은 까치구멍집이 단순히 과거의 유산이 아니라, 오늘날에도 자연과 인간의 조화를 상징하는 중요한 건축적 요소임을 보여준다.

2. 지붕 장식에서,
까치 모티프 찾기

지붕 장식은 한국 전통 건축에서 매우 중요한 요
소로, 단순한 미적 기능을 넘어 다양한 상징성을 담
고 있다. 특히, 까치를 모티프로 한 장식은 전통 건
축물에서 종종 발견된다. 이는 까치가 길조와 희망

을 상징하는 존재로 여겨졌기 때문이다.

까치 모티프는 주로 기와나 지붕의 끝부분에 새겨져 있다. 이러한 장식은 까치의 밝고 희망찬 이미지를 건물 전체에 부여하며, 집안에 복과 행운이 깃들기를 기원하는 의미를 담고 있다. 특히, 궁궐이나 사찰 같은 중요한 건축물에서는 까치와 관련된 상징적 장식이 더 자주 나타난다. 이는 까치가 단순히 개인적인 길조의 상징을 넘어, 공동체의 번영과 평화를 기원하는 의미를 지니고 있음을 보여준다.

까치 모티프는 한국뿐만 아니라 동아시아 전역에서 유사한 형태로 발견된다. 예를 들어, 중국의 전통 건축물에서도 까치와 연꽃을 결합한 장식이 사용되며, 이는 희망과 기쁨을 상징한다. 이러한 공통점은 까치가 동아시아 문화권 전반에서 중요한 상징적 존재로 여겨졌음을 나타낸다.

현대 건축에서도 까치 모티프는 새로운 방식으로 재해석되고 있다. 한옥 스타일의 현대 주택에서는

전통적인 까치 장식을 현대적인 재료와 디자인으로
변형해 사용한다. 이러한 시도는 까치 모티프가 전
통과 현대를 연결하는 디자인 요소로서 여전히 매
력적임을 보여준다.

3. 현대 건축,
디자인 속 까치

　현대 건축 디자인에서 까치는 전통적 요소를 현대적으로 재해석하며, 자연 친화적이고 지속 가능한 건축의 상징으로 자리 잡고 있다. 까치의 상징성과 자연과의 조화로운 이미지는 환경과 공존을 추구하

는 현대 건축에서 효과적으로 활용된다.

서울의 한 신축 건물은 까치를 모티프로 한 독특한 외벽 장식을 채택하여 자연친화적 이미지를 부각시켰다. 내부에는 까치 둥지에서 영감을 받은 구조물을 설치해, 방문객들에게 까치의 생태적 역할과 자연의 중요성을 알리는 교육적 공간으로 활용되고 있다. 이러한 디자인은 건축이 단순히 공간을 제공하는 것을 넘어 자연과 인간의 상호작용을 담아내는 매개체로 기능한다.

까치 둥지의 구조적 안정성과 효율성은 친환경 건축 디자인에서 주목받고 있다. 복잡하면서도 체계적인 둥지의 설계는 지속 가능성을 고려한 건축의 영감으로 작용하며, 자연의 지혜를 현대 기술과 결합한 창조적 접근을 실현한다. 이러한 건축물은 단순히 까치의 형태를 모방하는 것을 넘어 자연에서 얻은 아이디어를 실제로 구현하는 사례로 평가된다.

까치의 이미지는 현대 공공 건축에서도 적극 활

용되고 있다. 한 도시 공원에는 까치 조형물이 설치
되어 방문객들에게 자연과의 연결성을 상기시키고
환경 보호의 메시지를 전한다. 이러한 조형물은 미
적 요소를 넘어 자연과 인간이 조화를 이루며 살아
가야 한다는 철학적 메시지를 담고 있다. 이는 공공
공간이 단순한 여가 장소를 넘어 교육적이고 상징
적인 역할을 수행할 수 있음을 보여준다.

더불어, 까치의 긍정적이고 자연 친화적인 이미지
는 한국 전통과 현대적 미학을 결합하는 데 중요한
역할을 한다. 까치는 밝고 희망적인 상징으로 미래
지향적인 건축 설계에 새로운 가능성을 제시한다.

결론적으로, 현대 건축에서 까치는 전통과 현대를
연결하며 지속 가능성과 자연과의 공존이라는 메시
지를 담고 있다. 까치를 활용한 디자인은 과거의 가
치를 기념하는 동시에 미래를 향한 창의적이고 혁
신적인 설계의 한 축으로 자리 잡고 있으며, 인간과
환경이 조화를 이루는 새로운 접근 방식을 제시하
고 있다.

4. 까치와 인간,
주거의 조화 사례

    까치와 인간의 공존은 전통 건축뿐만 아니라 현대 건축에서도 중요한 주제로 다뤄지고 있다. 자연 친화적인 건축 설계는 까치와 같은 야생 동물들이 인간과 함께 살아갈 수 있는 환경을 조성하며, 지속

가능성과 생태계를 고려한 새로운 패러다임을 제시한다.

경기도의 한 생태 마을은 까치와 야생 동물의 공존을 염두에 둔 주택 설계로 주목받고 있다. 이 마을의 주택들은 지붕과 외벽에 까치가 머무를 수 있는 작은 공간을 마련해 까치뿐만 아니라 다양한 새들이 쉬고 번식할 수 있는 환경을 제공한다. 이는 단순히 동물들의 서식지를 보존하는 데 그치지 않고, 인간과 자연이 상호 이익을 주고받는 조화로운 공존의 가능성을 실현한 사례다. 이러한 설계는 건축이 인간만을 위한 공간이 아닌, 자연과 함께하는 환경으로 발전할 수 있음을 보여준다.

도시 환경에서도 까치와의 공존을 위한 노력이 이어지고 있다. 한 대기업의 사옥에서는 옥상 정원에 까치가 머물 수 있는 둥지 구조물을 설치하며 도시 생태계 복원에 기여하고 있다. 이 공간은 까치가 안정적으로 생활할 수 있는 환경을 제공함과 동시에 직원들에게 자연과의 연결감을 느끼게 하는 장소로 활용된다. 이러한 사례는 까치가 단순히 자연 속의 새가 아니라, 인간과 자연의 연결 고리로서 중요한 역할을 수행할 수 있음을 강조한다.

더 나아가, 현대 건축에서는 까치 둥지에서 영감을 받은 설계가 친환경 건축물로 발전하고 있다. 둥지의 효율적이고 안정적인 구조는 건축 설계에서 활용 가능한 창의적 아이디어로 평가받고 있다. 이러한 접근은 자연의 지혜를 인간의 기술과 융합하여 지속 가능한 건축 모델을 제시한다.

까치와 공존을 고려한 설계는 미적 요소를 넘어, 자연과 인간이 조화를 이루는 환경을 만들기 위한 실질적이고 혁신적인 해결책으로 자리 잡고 있다. 이러한 건축은 인간 중심적인 사고를 넘어, 생태계의 지속 가능성을 함께 고민하는 방향으로 나아가고 있다.

결론적으로, 까치와 인간의 공존을 고려한 현대 건축 설계는 단순히 동물의 서식지를 보존하는 데 그치지 않고, 인간과 자연이 조화를 이루는 미래를 설계하는 데 있어 중요한 영감을 제공한다. 이는 지속 가능성을 추구하는 현대 건축의 핵심 가치를 반영하며, 자연과 인간이 함께 번영할 수 있는 공간을 창조하는 데 기여하고 있다.

제10장
까치와 현대 기술

1. 드론과 까치
생태 연구의 새로운 도구

　드론은 현대 기술의 발전을 상징하며, 까치의 생태 연구에서도 혁신적인 도구로 자리 잡았다. 까치가 자연에서 어떻게 행동하고, 환경 변화에 어떤 영향을 받는지 이해하려면 세밀한 관찰과 데이터를

필요로 한다. 드론은 이러한 과정을 한층 더 정밀하고 효율적으로 만들어준다.

드론을 활용한 연구는 까치의 서식지 변화와 행동 패턴을 분석하는 데 중요한 역할을 한다. 예를 들어, 한 연구에서는 드론을 사용해 까치의 둥지 위치와 구조를 3D 모델로 재현했다. 이를 통해 까치가 둥지를 짓는 과정에서 사용하는 재료와 그들이 선호하는 위치를 자세히 분석할 수 있었다. 드론으로 수집된 데이터는 까치가 환경 변화에 어떻게 적응하는지를 이해하는 데 큰 도움을 주었다.

또한, 드론은 까치와 인간의 상호작용을 관찰하는 데도 사용된다. 한 연구에서는 도시 환경에서 까치가 드론을 어떻게 인식하고 반응하는지를 조사했다. 흥미롭게도, 까치는 드론이 위협이 되지 않는다고 판단하면 무시하는 경향을 보였고, 이는 까치가 환경의 새로운 요소에 대해 빠르게 학습하고 적응할 수 있음을 보여준다.

드론 기술은 까치의 행동을 기록하는 것 외에도, 생태계 보호와 관리에도 활용된다. 예를 들어, 특정 지역에서 까치의 개체 수를 추적하거나, 서식지 복원 프로젝트의 성공 여부를 평가하는 데 드론이 사용된다. 이러한 접근법은 기존의 연구 방법보다 시간과 비용 면에서 효율적이며, 까치뿐만 아니라 다른 새들과 생태계 전체를 이해하는 데 기여하고 있다.

드론은 까치 연구에서 단순한 도구 이상의 역할을 한다. 이는 까치의 생태학적 역할과 환경 변화에 대한 적응을 탐구하며, 인간과 자연이 어떻게 더 나은 공존을 이룰 수 있는지를 탐색하는 데 중요한 단서를 제공한다.

2. AI와 까치,
행동 분석

인공지능(AI)은 현대 과학 기술의 선두 주자로, 까치의 행동과 생태를 분석하는 데 중요한 역할을 하고 있다. AI는 방대한 데이터를 처리하고 까다로운 패턴을 분석하는 데 있어 인간이 할 수 없는 정밀

함을 제공한다. 이를 통해 까치 연구는 새로운 차원으로 도약했다.

AI를 활용한 연구는 까치의 행동 패턴을 분석하는 데 특히 유용하다. 예를 들어, AI 기반의 영상 분석 프로그램은 까치의 비행 경로, 먹이 찾기 행동, 그리고 포식자를 피하는 전략을 자동으로 식별할 수 있다. 한 연구에서는 까치의 울음소리를 AI로 분석해, 울음이 의사소통에서 어떤 역할을 하는지 구체적으로 밝혀냈다. 이는 까치의 울음이 단순한 소리가 아니라, 먹이를 알리거나 포식자의 접근을 경고하는 복잡한 신호 체계임을 보여준다.

또한, AI는 까치의 서식지 변화와 환경 적응을 추적하는 데 사용된다. 예를 들어, 위성 데이터를 기반으로 AI는 까치가 도시화된 지역에서 어떻게 새로운 서식지를 찾고, 그곳에서 생존 전략을 개발하는지 분석했다. 이러한 연구는 까치가 환경 변화에 얼마나 민감하게 반응하며 적응하는지를 이해하는 데 큰 도움을 주었다.

AI는 까치와 관련된 인간의 행동을 연구하는 데도 사용된다. 한 프로젝트에서는 AI가 소셜 미디어 데이터를 분석해 사람들이 까치에 대해 어떤 감정을 가지고 있는지 파악했다. 이 연구는 까치가 인간 문화에서 어떤 상징적 의미를 지니고 있으며, 사람들이 까치와의 상호작용에서 무엇을 기대하는지를 보여주는 흥미로운 결과를 제공했다.

AI 기술은 까치 연구의 새로운 시대를 열고 있다. 이는 단순히 까치의 행동을 기록하는 데 그치지 않고, 까치와 인간의 복잡한 관계를 이해하고, 자연과 기술이 어떻게 조화를 이루며 공존할 수 있는지를 탐구하는 데 중요한 도구로 자리 잡았다.

3. 미디어 속 까치,
광고와 이야기의 소재

까치는 현대 미디어에서 다양한 방식으로 등장하며, 광고와 스토리텔링에서 중요한 역할을 한다. 까치가 가진 상징성과 자연친화적 이미지는 광고와 영화, 드라마에서 메시지를 전달하는 강력한 도구로 활용된다.

광고에서는 까치가 종종 희망과 소통을 상징하는 존재로 등장한다. 예를 들어, 한 통신 회사의 광고는 까치가 가족과 친구 간의 연결을 상징하는 이미지로 사용되었다. 광고 속에서 까치는 메시지를 전달하는 매개체로 묘사되며, 이는 까치가 길조와 소식을 전하는 전통적인 상징성을 현대적으로 재해석한 사례다.

또한, 영화와 드라마에서는 까치가 중요한 스토리 장치로 활용된다. 까치가 울던 날 주인공의 운명이 바뀌는 설정은 긴장감과 흥미를 더하는 요소로 자주 등장한다. 한 독립 영화에서는 까치가 도시 속에서 인간의 외로움과 자연과의 단절을 상징하며, 주인공이 까치를 통해 삶의 새로운 의미를 발견하는 이야기를 그렸다.

까치의 이미지는 또한 환경 보호 메시지를 전달하는 데 사용된다. 한 공익 광고에서는 까치가 인간의 환경 파괴로 인해 서식지를 잃는 모습을 보여주며, 자연 보호의 필요성을 강조했다. 이러한 광고는 까치가 단순한 상징을 넘어, 실제 환경 문제를 환기시키는 데 중요한 역할을 할 수 있음을 보여준다.

미디어 속 까치는 전통과 현대를 연결하며, 자연과 인간의 관계를 재조명하는 데 중요한 도구로 사용되고 있다. 까치는 단순한 새를 넘어, 우리 삶의 복잡한 이야기를 담는 상징적 존재로 계속 진화하고 있다.

4. 기술과 자연의 조화 속,
까치의 역할

　현대 사회에서 기술과 자연의 조화는 중요한 주제로 부각되고 있으며, 까치는 이 두 영역을 연결하는 상징적 존재로 자리 잡고 있다. 까치는 인간이 기술을 활용해 자연과 더 나은 관계를 구축하는 데 영

감을 주며, 지속 가능성과 공존의 모델을 제시한다.

현대의 친환경 기술은 까치의 생태를 연구하고 보존하는 데 중요한 역할을 하고 있다. 예를 들어, 까치 서식지의 데이터를 활용해 설계된 도시 공원은 까치와 같은 야생 동물들에게 안전한 서식 환경을 제공한다. 이와 함께, 스마트 기술을 통해 까치의 행동과 이동 경로를 실시간으로 모니터링하며, 도시 생태계와 자연 환경 간의 조화를 이루는 방법을 탐구하고 있다. 이러한 연구는 까치가 자연과 기술이 협력하여 생태계를 보존하는 중요한 사례로 기능할 수 있음을 나타낸다.

또 다른 흥미로운 사례는 재생 가능 에너지와 까치의 관계다. 한 재생 에너지 연구소에서는 태양광 패널이 까치와 같은 새들에게 미치는 영향을 분석하고, 새들이 패널 주변에서 안전하게 생활할 수 있는 방법을 개발했다. 이 연구는 기술 발전이 생태계와 충돌하지 않으면서도 공존할 수 있는 가능성을 탐구하며, 기술과 자연의 조화를 실현하는 데 기여한다. 더 나아가, 풍력 터빈 주변에서 까치와 같은 새들의 안전을 보장하기 위한 연구도 진행 중이다. 이러한 노력은 기술이 자연을 배제하거나 훼손하는 것이 아니라, 자연과 조화를 이루며 상생하는 방향으로 발전할 수 있음을 보여준다.

까치의 생태적 중요성은 단순히 자연 보전에 그치지 않고, 인간이 기술을 통해 자연과 상호작용하는 방식을 새롭게 정의하는 데 영감을 준다. 스마트 센서와 같은 첨단 기술은 까치의 둥지와 서식지 상태를 모니터링하며, 까치와 인간이 공존할 수 있는 지속 가능한 환경을 조성한다. 이러한 접근은 자연에서 얻은 지혜와 기술의 혁신을 결합하여 더 나은 미래를 설계하는 데 기여한다.

결국, 까치는 기술과 자연이 조화를 이루는 미래를 상징적으로 보여주는 존재다. 이는 우리가 기술을 단순히 개발하는 데 그치지 않고, 자연과의 관계를 깊이 이해하며 지속 가능한 삶을 추구하도록 이끈다. 까치는 인간이 기술을 활용해 생태계를 보존하고 자연과 공존하는 방식을 탐구하는 데 영감을 제공하는 중요한 상징으로, 기술과 자연이 함께 번 영할 수 있는 가능성을 제시한다.

제11장
미래를 향한 까치의 날갯짓

1. 길조와 흉조의 경계를 넘어,
까치의 가능성

　까치는 길조와 흉조라는 이분법적 틀 안에서 오
랜 세월 동안 상징적 존재로 자리 잡았다. 하지만
현대에 들어 까치의 의미는 이 경계를 넘어 더 다
채롭고 유연하게 확장되고 있다. 까치는 단순히 좋

은 소식을 가져오는 새를 넘어, 인간과 자연이 조화를 이루며 공존하는 새로운 가능성을 탐구하는 상징으로 자리 잡고 있다.

길조로서 까치는 전통적으로 희망과 기쁨을 상징했다. 까치가 집 주변에 나타나거나 울음을 터뜨리면 사람들은 반가운 손님이나 좋은 소식이 올 것이라고 믿었다. 이는 까치의 행동이 인간에게 긍정적인 메시지를 전달하는 역할을 했기 때문이다. 그러나 흉조로서의 까치 역시 다른 문화권에서 종종 묘사된다. 특히, 까마귀와 혼동되거나 까치의 울음이 불길한 예감으로 여겨지는 사례도 있다.

현대 사회에서는 이러한 이분법적 틀을 넘어 까치의 다면적인 가능성을 탐구하려는 시도가 이루어지고 있다. 까치의 지능, 적응력, 그리고 생태적 역할이 재조명되면서, 까치는 더 이상 단순한 상징으로 머물지 않는다. 예를 들어, 한 연구에서는 까치가 도시 환경에서 쓰레기를 정리하며 자연의 균형을 유지하는 데 기여한다는 사실이 밝혀졌다. 이는 까치가 단순히 상징적 존재를 넘어 실제로 환경에서 중요한 역할을 한다는 점을 강조한다.

또한, 까치는 새로운 문화 콘텐츠의 영감의 원천으로 떠오르고 있다. 영화, 드라마, 광고에서 까치는 길조와 흉조를 넘나드는 다면적 캐릭터로 등장하며, 복합적인 이야기를 전달하는 데 중요한 매개체로 사용된다. 이는 까치가 현대 사회에서도 여전히 강력한 상징적 가치를 지니고 있음을 보여준다.

결국, 까치는 길조와 흉조라는 전통적 틀을 넘어, 인간과 자연이 공존하며 미래를 설계하는 데 중요한 가능성을 제시한다. 까치의 모습은 우리에게 환경과 생태계를 바라보는 새로운 시각을 열어준다.

2. 기후 변화 속,
까치의 적응 전략

기후 변화는 까치의 생태와 행동에 큰 영향을 미쳤다. 전 세계적으로 기온 상승과 서식지 변화가 동물들에게 도전 과제를 던지는 가운데, 까치는 놀라운 적응력을 보여주고 있다. 까치의 생존 전략은 인간이 환경 변화에 어떻게 대응해야 하는지에 대한 통찰을 제공한다.

기온 상승은 까치의 번식과 먹이 활동에 직접적인 영향을 미쳤다. 연구에 따르면, 까치는 온도가 상승하면서 번식 시기를 조정하거나, 먹이의 종류를 변화시키는 적응력을 보였다. 예를 들어, 북미 지역의 한 연구에서는 까치가 겨울철에도 활동성을 유지하며, 곤충 대신 씨앗과 과일을 먹이로 삼는 방식으로 생존 전략을 바꾸었다는 결과를 발표했다. 이는 까치가 변화하는 환경에 민감하게 반응하며, 자원을 효율적으로 활용하는 능력을 보여준다.

또한, 서식지 파괴는 까치에게 새로운 도전을 제시했다. 숲과 들판이 사라지고 도시화가 진행되면서 까치는 도시 환경에 적응해야 했다. 도시에서 까치는 전봇대나 건물 틈새에 둥지를 틀고, 쓰레기와 같은 새로운 자원을 활용하며 생존했다. 이러한 행동은 까치가 단순히 환경 변화에 적응하는 것에 그치지 않고, 새로운 환경에서 생태적 역할을 재정립하는 모습을 보여준다.

까치의 적응 전략은 단순히 생존의 문제가 아니라, 인간과 자연의 상호작용을 탐구하는 데 중요한 단서를 제공한다. 까치는 기후 변화의 압박 속에서도 새로운 가능성을 모색하며, 인간이 환경 변화에 어떻게 대응할지에 대한 영감을 준다.

3. 인간과 까치의,
지속 가능한 관계

　인간과 까치의 관계는 오랜 역사 속에서 발전해 왔으며, 이제는 지속 가능성을 중심으로 재조명되고 있다. 까치는 인간이 만든 환경에서 생존하며, 동시에 인간에게 자연의 메시지를 전달하는 역할을 한

다. 이러한 관계를 어떻게 지속 가능하게 유지할 수 있을지 탐구하는 것은 중요한 과제다.

지속 가능한 관계를 위해 가장 중요한 것은 까치의 서식지를 보호하는 것이다. 도시화가 진행되면서 까치의 자연 서식지가 급격히 감소했다. 이를 해결하기 위해 일부 도시에서는 까치를 위한 인공 서식지를 제공하거나, 공원과 녹지를 확장하는 노력을 기울이고 있다. 예를 들어, 서울의 한 공원에서는 까치가 둥지를 틀 수 있는 전용 공간을 마련하며, 도시 생태계를 복원하는 데 기여하고 있다.

또한, 까치와 인간이 공존하는 방식을 연구하는 프로젝트도 진행 중이다. 한 연구에서는 까치가 인간의 쓰레기를 활용해 생존하는 방식을 분석하며, 이를 통해 쓰레기 관리와 도시 생태계 개선 방안을 도출했다. 이러한 연구는 까치와 인간이 상호 이익을 얻을 수 있는 방법을 모색하는 데 중요한 기여를 한다.

결국, 까치와 인간의 지속 가능한 관계는 자연과 인간의 공존을 상징적으로 보여준다. 이는 까치가 단순히 자연의 일부가 아니라, 인간과 함께 미래를 설계하는 동반자로서 중요한 역할을 할 수 있음을 의미한다.

4. 자연과의 조화로운,
공존을 위한 까치의 교훈

　까치는 자연과의 조화로운 공존을 상징하는 존재로, 인간에게 중요한 교훈과 영감을 제공한다. 까치의 행동과 생태적 역할은 단순히 자연의 일부를 넘어, 인간이 환경을 어떻게 이해하고 대해야 하는지

에 대한 깊은 통찰을 제시한다.

까치는 환경 변화에 민감하게 반응하며, 뛰어난 적응력을 통해 새로운 생태적 균형을 만들어 간다. 이는 인간에게도 중요한 메시지를 전달한다. 까치는 단순히 생존을 위해 변화에 적응하는 것이 아니라, 환경 속에서 창의적이고 유연한 방식으로 새로운 가능성을 모색한다. 이러한 모습은 급격한 변화와 위기 속에서 인간도 까치처럼 문제를 해결하고, 지속 가능한 미래를 위해 환경과 상호작용해야 한다는 교훈을 준다.

까치와 인간의 관계는 자연과 공존하는 방식의 모델을 보여준다. 까치는 인간이 만든 서식지와 자원을 활용하며, 동시에 인간에게 생태계의 중요성과 자연과의 조화로운 관계를 상기시킨다. 예를 들어, 까치는 도시 환경에서도 안정적으로 적응하며, 해충을 줄이거나 씨앗을 퍼뜨리는 등 생태계에 긍정적인 영향을 미친다. 이는 인간이 자연을 단순히 소비의 대상으로 바라보는 태도에서 벗어나, 자연과 상호 이익을 주고받는 파트너로 인식해야 한다는 점을 강조한다.

까치는 또한 자연의 지혜를 통해 인간에게 새로운 관점을 제시한다. 둥지를 짓는 과정에서 보여주는 효율성과 안정성은 건축과 설계 분야에서 지속 가능한 아이디어를 제공하며, 자연에서 배운 지식을 인간의 삶에 응용할 수 있는 가능성을 열어 준다. 이러한 교훈은 인간이 자연을 단순히 모방하는 것을 넘어, 자연과 협력하여 더 나은 미래를 설계할 수 있음을 시사한다.

결국, 까치의 모습은 우리가 환경과 미래를 설계할 때 어떤 가치를 중심에 두어야 하는지를 일깨운다. 까치는 인간과 자연이 조화롭게 공존할 수 있는 가능성을 상징하며, 지속 가능성과 생태적 균형을 이루기 위한 길잡이가 된다. 이는 우리의 삶과 환경에 대한 새로운 시각을 제공하고, 자연과의 상호작용 속에서 더 나은 미래를 구축할 수 있는 영감을 준다.

까치는 단순히 자연의 일부로 존재하는 새가 아니다. 그것은 인간과 자연의 관계를 성찰하게 하고, 환경과 공존하며 살아가는 방식을 고민하도록 이끄는 중요한 상징적 존재다. 이를 통해 우리는 자연과 함께 성장하고 번영할 수 있는 미래를 설계할 수 있다.

전설의 날개로 현대를 날다

까 치 와 설 날

설화와 과학의 만남

♣ 에필로그 ♣
날개 아래 숨겨진 이야기

까치는 한국인의 삶과 전통 속에서 길조의 상징으로 자리 잡았으며, 자연과 인간의 연결 고리로서 특별한 의미를 지닙니다. 설화 속에서 은혜를 갚는 지혜로운 새로 묘사된 까치는 자연과 인간이 서로 도움을 주고받으며 공존해야 한다는 교훈을 남깁니다. 설날의 길조로 여겨졌던 까치는 오늘날에도 우리의 정서와 문화 속에서 살아 숨 쉬고 있습니다.

현대 사회에서 까치는 단순히 전통적 상징에 머무르지 않고, 다양한 방식으로 재해석되고 있습니다. 예를 들어, 공원 조형물로 만들어진 까치는 자연과 인간의 조화로운 공존을 상징하며 환경 보존의 중요성을 알립니다. 또한, 한 통신사의 설날 광고에서는 까치가 가족 간의 연결과 소통을 상징하는 매개체로 등장하여 설날의 따뜻한 정서를 전달했습니다. 이러한 사례들은 까치가 현대적 맥락에서도 여전히 강력한 상징적 가치를 지니고 있음을 보여줍니다. 까치는 도시 환경에서 인간과 공존하며 자연 생태계의 균형을 유지하는 데 중요한 역할을 합니다. 전봇대 위에 둥지를 틀고, 쓰레기에서 재료를 찾아 둥지를 완성하는 까치의 모습은 적응력과 생명력을 상징합니다. 이러한 모습은 현대인이 환경 변화 속에서 배워야 할 중요한 교훈을 제공합니다.

 예술과 미디어 속에서 까치는 희망과 소통의 상징으로 자리 잡았습니다. 광고에서는 가족 간의 연결을 상징하며, 공공 미술에서는 자연 보호의 메시지를 전달합니다. 까치가 등장하는 이러한 매체들은 현대 사회에서 자연과 인간의 관계를 다시금 생각하게 합니다.

 까치의 날갯짓은 단순한 움직임이 아닙니다. 그것은 자연과 인간이 조화롭게 살아가야 한다는 메시지를 담고 있습니다. 예를 들어, 까치는 도시의 쓰레기를 활용해 둥지를 짓는 모습을 보여주며, 인간이 만든 환경 속에서 자연이 어떻게 적응하고 공존할 수 있는지를 상징적으로 나타냅니다. 이러한 행동은 우리가 일상에서 자원을 재활용하고 자연과 공존할 방법을 모색해야 한다는 교훈을 줍니다. 자연 속 작은 생명체가 보여주는 생존의 지혜는 인간에게도 큰 영감을 줍니다. 설날의 상징에서 시작된 까치의 이야기는 오늘날 환경과 공존의 가치를 재조명하며, 미래를 향한 희망을 제시합니다.

이 책이 당신에게 까치와 설날, 그리고 자연과 인간의 관계를 새롭게 이해하는 계기가 되길 바랍니다. 까치의 날갯짓처럼, 당신의 삶에도 새로운 희망과 기쁨이 깃들기를 바랍니다.

에필로작가낭송

필그가송

에로작낭

http://naver.me/GgWQ37q5

★ 특별 부록 ★
까치와 인간, 더 깊은 이야기

부록1. 설화 속 까치, 희망과 교훈의 상징

　까치는 한국 설화에서 희망과 교훈을 상징하며, 인간과 자연을 연결하는 중요한 매개체로 자주 등장한다. 이러한 이야기들은 자연과 인간의 상호작용, 상생, 그리고 조화의 가치를 전하며, 과거의 문화적 지혜를 전해준다.

‘은혜 갚은 까치’는 가장 널리 알려진 설화 중 하나로, 까치가 뱀에게 위협받는 주인을 구하고, 이에 대한 보답으로 도움을 받는 이야기를 담고 있다. 이 설화는 단순히 은혜와 보답이라는 윤리적 메시지를 넘어, 인간과 자연이 서로 돕고 공존할 수 있음을 상징적으로 보여준다. 까치의 용기 있는 행동은 희생과 상호존중의 가치를 강조하며, 인간이 자연에 대해 책임감을 가져야 한다는 교훈을 전달한다.

　강원도의 치악산 전설은 까치가 뱀과 싸워 인간에게 평화를 가져다준다는 이야기를 중심으로 전개된다. 이 전설은 까치를 단순한 새가 아닌, 자연의 균형을 지키는 수호자로 그리며, 생태계의 질서를 유지하는 데 자연의 역할이 얼마나 중요한지를 일깨운다. 치악산이라는 지명의 유래까지 설명하는 이 이야기는 자연과 인간의 공존이 가진 깊은 의미를 전달한다.

　까치는 설화 속에서 길조와 흉조라는 양면적인 상징으로도 나타난다. "까치가 아침에 울면 좋은 일이 생긴다"는 믿음은 까치를 희망과 좋은 소식을 전하는 존재로 묘사한다. 반대로, "까치가 저녁에 울면 나쁜 일이 생긴다"는 이야기는 흉조로서의 까치를 보여준다. 이러한 양면성은 까치가 인간의 삶 속에서 길흉화복을 예고하는 상징적 존재로 여겨졌음을 드러낸다.

까치 설화는 단순히 흥미로운 이야기로 그치지 않고, 오늘날에도 인간과 자연의 관계를 이해하고 성찰하는 데 중요한 교훈을 제공한다. 은혜 갚은 까치는 상호존중과 책임의 가치를, 치악산 전설은 자연의 질서와 균형의 중요성을, 길조와 흉조의 이야기는 자연과 인간의 복잡한 관계를 조명한다.

결국, 까치 설화는 단순히 읽는 재미를 넘어 인간과 자연이 어떻게 연결되어 있는지에 대한 깊은 통찰을 준다. 이 이야기들은 자연의 소중함을 일깨우고, 지속 가능한 공존의 가능성을 탐구하게 하며, 까치를 통해 삶의 가치를 새롭게 바라보도록 이끈다.

부록2. 까치 연구, 생태와 행동, 그리고 인간과의 공존

　까치에 대한 연구는 생태학, 행동학, 환경학 등 다양한 분야에서 활발히 이루어지고 있다. 이러한 연구는 까치가 생태계와 인간 사회에서 어떤 역할을 하는지를 이해하는 데 중요한 정보를 제공하며, 인

간과 자연의 공존 가능성을 탐구하는 데 기여한다.

통계적으로, 까치는 전 세계적으로 약 30여 종이 존재하며, 한국에서는 주로 아시아까치(Pica serica)가 서식한다. 국내 까치 개체 수는 지속적으로 증가하고 있으며, 도시화가 진행되면서 까치는 도심에서도 흔히 관찰되는 새가 되었다. 이는 까치가 도시 환경에 뛰어난 적응력을 지닌 생물임을 보여준다.

행동학적 연구에서는 까치의 높은 지능과 사회적 행동이 주목받고 있다. 한 연구에 따르면 까치는 거울에 비친 자신의 모습을 인식할 수 있으며, 이는 까치가 복잡한 인지 능력을 가진 동물임을 시사한다. 또 다른 연구에서는 까치가 먹이를 숨길 때 다른 까치의 시선을 의식하며 행동을 조정한다는 사실이 밝혀졌다. 이러한 행동은 까치가 단순히 본능에 의존하지 않고, 전략적 사고를 할 수 있는 존재임을 나타낸다.

환경학적으로, 까치는 생태계에서 중요한 역할을

수행한다. 까치는 해충을 잡아먹어 농작물 보호에 기여하며, 씨앗을 퍼뜨리는 데에도 도움을 준다. 농촌 지역에서는 까치가 해충 통제를 통해 생태계 균형을 유지하는 데 긍정적인 영향을 미친다는 연구 결과가 많다. 반면, 과일이나 곡물을 훔치는 행동은 농업에 피해를 줄 수 있는 부정적인 측면으로 지적된다.

결론적으로, 까치에 대한 연구는 까치의 생태적 역할을 이해하는 데 그치지 않고, 인간과 자연이 어떻게 더 나은 관계를 형성할 수 있을지에 대한 방향성을 제시한다. 까치는 도시와 농촌을 아우르며 생태계와 인간 사회 모두에서 중요한 역할을 하는 존재로, 지속 가능한 공존의 가능성을 탐구하는 데 유용한 사례를 제공한다.

부록3. 속담과 민요 속 까치,
정서와 지혜의 상징

까치는 한국의 속담과 민요에서 중요한 소재로 자주 등장하며, 인간의 정서와 삶의 지혜를 담고 있다. 속담과 민요 속 까치는 길조, 희망, 그리고 자연과 인간의 연결을 상징적으로 표현하며, 한국인의 문화적 정

체성을 반영하는 핵심적인 요소로 자리 잡고 있다.

대표적인 속담인 "까치가 울면 손님이 온다"는 까치의 울음소리를 길조로 여겼던 전통적 믿음을 반영한다. 이 속담은 까치를 단순한 새가 아니라, 좋은 소식을 전하는 전령으로 인식했음을 보여준다. 이와 함께 "까치 울음이 섬뜩하면 나쁜 일이 생긴다"는 속담은 까치가 희망과 길조를 상징하는 동시에, 불길함의 예고자로서의 양면적 의미를 지니고 있음을 나타낸다. 이러한 속담들은 자연 속에서 관찰된 까치의 행동을 인간의 삶에 투영하며, 자연과 인간의 관계를 상징적으로 표현한 것이다.

민요에서도 까치는 희망과 활력을 상징하는 존재로 자주 등장한다. 예를 들어, "까치 까치 설날은 어저께고요~"로 시작하는 동요는 까치가 설날의 상징적 존재임을 잘 보여준다. 이 동요는 까치가 복을 가져다주는 길조로 여겨지는 전통적 의미를 노래하며, 설날의 희망과 즐거움을 어린이들에게 친숙하게 전달한다. 또다른 민요에서는 까치의 울음소리를 복을 부르는 신호로 묘사하며, 까치가 인간의 삶에 긍정적인 영향을 미치는 존재임을 강조한다. 까치의 울음소리는 단순한 자연의 소리가 아니라, 삶의 변화와 좋은 기운을 예고하는 신호로 받아들여졌다.

속담과 민요 속 까치는 단순히 전통적 이야기에 그치지 않고, 한국인의 일상과 문화적 정체성 속에 깊이 자리 잡고 있다. 이는 까치가 단순한 자연의 동물이 아니라, 인간과 자연의 조화를 상징하는 매개체로 인식되었음을 보여준다. 까치의 상징은 과거의 농경 사회에서부터 현대에 이르기까지 계속해서 재해석되며, 속담과 민요를 통해 그 의미가 확장되고 전승되고 있다.

결론적으로, 속담과 민요 속 까치는 한국인의 정서와 삶의 철학을 반영하며, 희망, 길조, 그리고 자연과 인간의 연결을 상징하는 중요한 요소로 작용한다. 이러한 문화적 표현은 까치가 단순한 동물을 넘어, 인간과 자연의 관계를 성찰하게 하고, 삶의 긍정적인 가치를 강조하는 상징적 존재로 자리 잡게 한 원동력이 되었다.

부록4. 까치의 생태와 행동을 기록하는,
시각 자료의 중요성

　　까치의 생태와 행동을 시각적으로 기록한 자료는
까치 연구와 보존뿐만 아니라, 대중에게 그들의 생
태적 중요성을 알리는 데 필수적인 역할을 한다. 사
진, 영상, 그래픽 등 다양한 매체를 활용해 까치의

서식지와 행동을 관찰하면, 이들의 환경 적응력과 생존 전략을 더 깊이 이해할 수 있다.

한 연구팀은 드론 기술을 활용해 까치의 둥지 구조와 재료를 3D 모델링하는 프로젝트를 진행했다. 이 작업은 까치가 둥지를 짓는 과정에서 주변 환경의 자원을 어떻게 활용하는지를 정밀하게 분석하는 데 큰 도움을 주었다. 예를 들어, 까치가 나뭇가지, 풀, 심지어 인간이 버린 물건까지 활용해 안정적이고 효율적인 둥지를 만드는 방식은 환경 변화에 대한 놀라운 적응력을 보여준다. 이러한 시각 자료는 까치의 생존 전략과 창의성을 연구자들에게 생생하게 전달한다.

또한, 고속 카메라를 사용한 연구에서는 까치의 비행과 먹이 찾기 행동을 자세히 기록했다. 까치가 공중에서 곡선을 그리며 비행하거나 땅 위에서 먹이를 찾는 모습은 그들의 민첩성과 높은 지능을 보여준다. 이런 시각 자료는 까치의 행동과 생리적 특징을 과학적으로 분석하는 데 중요한 기반을 제공한다.

다큐멘터리와 자연사 프로그램에서도 까치는 자주 등장하는 주제로, 인간과 자연의 상호작용을 보여주는 사례로 활용된다. 한 다큐멘터리는 까치가 인간이 만든 쓰레기를 이용해 둥지를 짓는 장면을 담아냈다. 이 장면은 도시 환경에서도 까치가 뛰어난 적응력을 발휘하며 생존하는 모습을 조명했다. 또한, 까치가 도시와 자연 사이에서 어떻게 균형을 유지하며 살아가는지를 시청자들에게 생생하게 전달했다.

이러한 시각 자료는 까치 연구를 위한 도구에 머무르지 않고, 대중과 과학자 간의 다리를 놓는 중요한 매개체로 작용한다. 까치의 생태적 역할과 환경 적응력을 기록한 사진과 영상은 사람들에게 까치가 단순히 자연 속의 새가 아니라, 인간과 환경을 공유하며 공존하는 존재임을 알리는 데 기여한다.

뿐만 아니라, 까치의 아름다움과 생태적 가치를 시각적으로 표현한 자료는 교육과 보존 캠페인에서도 효과적으로 활용되고 있다. 자연사 박물관, 전시

회, 교육 프로그램 등에서 까치의 시각 자료를 활용하면 사람들에게 자연과 생태계에 대한 관심을 높이고, 보존의 필요성을 강조할 수 있다.

결론적으로, 까치의 생태와 행동을 시각적으로 기록한 자료는 과학적 연구를 심화시키는 데 그치지 않고, 까치의 문화적, 생태적 가치를 대중과 공유하는 데 중요한 역할을 한다. 이러한 자료는 인간과 자연의 연결성을 조명하며, 환경과 공존하는 삶의 중요성을 다시금 일깨우는 강력한 도구로 기능한다.

부록5. 현대 매체와 예술 속 까치, 상징성과 메시지 전달

 까치는 현대 매체와 예술 작품에서 길조와 희망, 그
리고 자연과 인간의 연결을 상징하는 요소로 자주 등
장하며, 그 친숙한 이미지를 통해 다양한 메시지를 전
달한다. 영화, 드라마, 광고, 문학 등에서 까치는 단순한 소재를 넘어 복합적인 상징적 도구로 활용된다.

한 인기 드라마에서는 까치가 주인공의 중요한 전환점에서 상징적 역할을 했다. 주인공이 중대한 결정을 내려야 하는 장면에서 까치의 울음소리가 등장하며, 서사의 긴장감을 고조시키고 감정적 몰입을 이끌어냈다. 또 다른 영화에서는 까치가 도시 속 고립과 자연과의 단절을 상징적으로 표현하며, 주인공이 까치를 통해 삶의 희망을 발견하고 변화하는 이야기를 그려냈다. 까치는 여기서 단순한 동물이 아닌, 주제의 심화를 돕는 중요한 상징으로 자리 잡았다.

광고에서도 까치는 희망과 소통의 상징으로 종종 등장한다. 한 통신 회사의 광고에서는 까치를 가족 간의 유대를 강화하고 소통을 연결하는 매개체로 활용했다. 이 광고는 까치의 친근한 이미지를 통해 가족의 따뜻함과 현대 기술의 연결성을 효과적으로 전달하며, 까치가 현대 사회에서도 여전히 강력한 상징적 가치를 지니고 있음을 보여줬다.

문학에서도 까치는 인간과 자연, 삶의 복잡성을 탐

구하는 데 중요한 장치로 사용된다. 현대 소설에서는 까치가 과거와 현재를 연결하거나, 인간의 내면 변화를 상징하는 매개체로 등장하며 독자들에게 깊은 여운을 남긴다. 시에서도 까치는 희망, 소통, 혹은 자연의 순환과 재생을 표현하는 은유로 활용된다.

까치의 이러한 다층적 활용은 현대 예술과 매체가 전통적 상징을 새롭게 해석하며, 과거의 가치를 현대적 맥락에 맞게 재구성하는 과정을 보여준다. 까치는 단순히 길조나 희망의 상징에 머무르지 않고, 인간과 자연, 현대 사회의 복잡한 관계를 조명하는 데 중요한 도구로 자리 잡고 있다.

결론적으로, 현대 매체와 예술에서 까치는 단순한 소재가 아니라, 다양한 맥락에서 의미를 확장하며 지속적으로 재해석되고 있다. 이를 통해 까치는 현대인의 삶 속에서 희망과 연결, 그리고 자연과의 조화를 탐구하는 상징적 존재로서 중요한 역할을 하고 있다. 까치를 활용한 작품 목록을 정리하고 분석하는 일은 까치가 문화적 맥락 속에서 어떻게 변화하며 발전해 왔는지를 이해하는 데 유용한 자료가 될 것이다.

전설의 날개로 현대를 날다

까 치 와 설 날

설화와 과학의 만남

최민수 지음